清康熙四十年本

芥子園畫譜

第二集 卷三 金陵沈心友刊

梅菊譜序

筆墨之重不重於名冠一時而重於神留千古猶人之不貴於邀譽一朝而貴於範圍奕世也自有圖畫以來代有名家世多奇筆然不過擅一長精一技而已未有如繡水王先生三昆季抱筆墨之絕技有如此者詩文字畫皆爲豐歲之珍饑年之粟笠翁山水譜實三先生成之刊行已久世之山人墨士獲之如暗室一燈已大有裨於後進矣乃於莫愁湖邊唫眺之暇復集翎毛草蟲花卉譜若干卷

嗚非抱筆墨之全技者能若是邪兹
復覽梅菊一册不覺擊節稱快因悟
古名人咏梅菊之作何詩非畫而三
先生譜梅菊之筆何畫非詩雖按古
法實出新裁蒼古曲折活潑蕭踈不
特冷韻晚香襲襲動人更一種意在

筆先神遊境外之玅真前無古人而
後無來者矣吾知此刻一出紙貴三
都世之取法於斯者何患不名冠一
將而神留千古哉

康熙辛巳菊月雄州余椿題於秦淮
書舍

畫傳合編序

卿山余為芥子園摹畫傳初編成而沈子因伯持政於其外舅李先生笠翁翁叅府吳山相業羅喜曰余以裁祿高攬城郭峯巒湖山之納光景而湮煙霏朝夕陰晴變態不測自憾未能吮毫統墨者得是足傳我心矣今翁已歷世餘稔猶說清故芥子園業三易手而是編遐邇爭購如故即芥子園如故信哉畫以人傳而地與俱傳矣且沈窗內請者蓋駮有以詢有二編之否沈子因伯乃出其翁精藏卉花卉禽鳥名傳諸作并若干種俾余暨家弟司直兩弟經營臨寫余嘆甚不獲鄉野從宇尤綸文數十年來初綠名聞之髮白齒落相與重理舊緒有足多者遂為編定而仍標曰芥子園畫傳畫若廬陵羅長源泌著路史必不曰廬陵路史而曰西湖路史者以為陳卧子之湖上讀書有功有所歸下編耳譜得蘭竹梅菊以為二編復譜得山花阻卉以及草蟲翎羽之屬為茂編允當為首載有諸說超手諸式以便初學沈子畢心書盡不惜重資遠延剞劂能手精思入髮精雕屬工余嘗謂畫花卉類於山水即繁之絹素尚多筆本判從梨棗間見生活即從雕鐫工緻而牛毛繭絲層疊暈章老嫩濃淡旁見側出亦意外之妙為拓染狂吞草懷未得超然翁為是之同為稱賞乃或謂余豈能妙於文湖州而妙於李蘇菊蘭盛於趙孟堅不妙於孟堅與之妙於殷仲容墨梅妙於花光山釋仲仁而不妙於仲仁而妙於滕昌祐翎羽蟲魚盛於徐熙然不妙於徐熙而妙於蒹葭邊鸞未識層累而上更有所昉乎余曰蓋皆昉於古風人也試觀三百篇中櫻若桃李細及蘋藻蒲荇鬱薁蔦蘿檽樸棫之一不備鷺雞鳩鴿倉庚燕雁鶉鵲蜂蠋鳴蜩草蟲之一不必盛狀其形勢寫其聲響物性物情一一逼肖非極古今天下之寫生妙手其孰則爾雅分門別類其次焉離騷標舉諸花皆三家者竭天地間之一大花卉翎羽譜系也余當作畫余額為題於末既為取而紬繹使余下指揮之處諸得以反作他詩文未就前意呼桑榆渥瀝小編一二頁隨之而情興勃勃淋漓滿志極他人之妙筆用以啟發心胸有若源水而當便益也凡作畫者每正筆次用墨丹黃淺為者必沈子而料絕曰不特於翎花卉禽蟲亦以不傳之秘昇為作詩若文者出有律遠而尤照繼不忘先外舅與芥子園都非恆情可及子證以西湖之傳號忠於路嘆作路史不足以傳西湖其識也余芥子園之謂乎余甚愧惶斯言

康熙辛巳歲仲秋望日

湖野安節甫題

青在堂畫梅淺說

畫法源流

唐人以寫花卉名者多矣。尚未有專以寫梅稱者。于錫有雪梅野雉圖。乃用於翎毛上。梁廣作四季花圖而梅又雜於海棠荷菊間。李約始稱善畫梅。其名亦不大著。至五代滕昌祐徐熙畫梅。皆鉤勒着色。徐崇嗣獨出己意。不用描寫。以丹粉點染。爲沒骨畫。陳常變其法。以飛白寫梗。用色點花。崔白專用水墨。李正臣不作桃李浮豔。意寫梅。深得水邊林下之致。故獨擅專長。釋仲仁以墨漬作梅。釋惠洪又用皂子膠寫于生綃扇上。照之儼然梅影。後人因之。盛作墨梅。米元章晁補之湯叔雅蕭鵬搏張德琪。俱專工寫墨梅。獨楊補之不用墨漬。創以圈法。鐵梢丁橛。清淡勝于傳粉。嗣之者。徐禹功趙子固王元章吳仲圭湯仲正釋仁濟。仁濟自謂用心四十年。作花圈始圓耳。此外則茅汝元丁野堂周密沈雪坡趙天澤謝佑之。爲宋元間之寫梅著名者。汝元世稱專家。佑之但傳色濃厚學趙昌而不臻其妙也。明代諸公。尤多善此。未分厥派各擅一長。不暇標舉。唐宋以來。畫梅之派有四。惟鉤勒著色者最先。其法創於于錫。至滕昌佑而推廣之。徐熙始極其妙也。用色點染者爲沒骨畫。創於徐崇嗣。繼之者代不乏人。至陳常一又變其法。點墨者創於崔白。演其法于釋仲仁。米芾諸君相效成風。極一時之盛。圈白花頭不用著色。創於楊補之。吳仲圭。王元章推其法。眞橫絕一世。考畫梅之法。其源流亦不外乎是矣。

楊補之畫梅法總論

木清而花瘦。梢嫩而花肥。交枝而花繁。纍纍分梢而萼踈。蕊踈立幹。須曲如龍。勁如鐵。發梢須長如箭。短如戟。上有餘則結頂。地若窄而無盡。若作臨崖傍水。枝怪花踈。要含苞半開。若作梳風洗雨。枝閑花茂。若離披爛熳。若作披烟帶霧。枝嫩花嬌。要含笑盈枝。若作臨風帶雪。低回偃折。要幹老花稀。若作停霜映日。森空峭直。要花細香舒。學者須先審此。梅有數家之格。或踈而嬌。或繁而勁。或老而媚。或清而健。豈可言盡哉。

湯叔雅畫梅法

梅有幹有條有根有節有刺有蘚或植園亭或生山巖或傍水邊或在籬落生處既殊枝體亦異又花有五出四出六出之不同大抵以五出爲正其四出六出者名爲棘梅是稟造化過與不及之偏氣耳其爲根也有老嫩有曲直有疎密有停勻有古怪其爲梢也有如斗柄者有如鐵鞭者有如鶴膝者有如龍角者有如鹿角者有如弓梢者有如釣竿者其爲形也有大有小有背有覆有偏有正有彎有直其爲花也

有椒子有蠏眼有含笑有開有謝有落英其形不一其變無窮欲以管筆寸墨寫其精神然在合乎道理以爲師承演筆法於常時凝神氣於胸臆思花之形勢想體之奇偏筆墨顛狂根柄旋播發枝梢如羽飛疊花頭似品字枝分老嫩花按陰陽蕊依上下梢度長短花必粘一丁丁必綴枝上枝必抱枯木枯木必塗龍鱗龍鱗必向古節兩枝不並齊三花須鼎足發丁長點鬚短高梢小花勁萼尖處不冗九分墨爲枝梢十分墨爲蔕枝枯處令其意閒枝曲處令其意靜

是剪瓊鏤玉之花現蟠龍舞鳳之幹如是方寸即孤山也庾嶺也虬枝瘦影皆自吾揮毫濡墨中出矣何慮其形之衆何畏其變之多也耶

華光長老畫梅指迷

凡作花蕚必須丁點端楷丁欲長而點欲短鬚欲勁而蕚欲尖丁正則花正丁偏則花偏枝不可對發花不可並生多而不繁少而不虧枝枯則欲其意稠枝曲則欲其意舒花須相合枝須相依心欲緩而手欲速墨須淡而筆欲乾花須圓而不類杏枝欲瘦而不

類柳似竹之清如松之實斯成梅矣

畫梅體格法

叠花如品字交枝如又字交木如極字結梢如爻字花分多少則花不繁枝有細嫩而枝不惟枝多而花少言其氣之全也枝老而花大言其氣之壯也枝嫩而花細言其氣之微也有高下尊卑之別有大小貴賤之辨有踈密輕重之象有間闊動靜之用枝不得並發花不得並生眼不得並點木不得並接枝有文武剛柔相合花有大小君臣相對條有父子長短不

同蕊有夫妻陰陽相應其致不一當以類推之

畫梅取象說

梅之有象由制氣也花屬陽而象天木屬陰而象地而其故各有五所以別奇偶而成變化蒂者花之所自出象以太極故有一丁房者華之所自彰象以三才故有三點蕚者花之所自起象以五行故有五葉鬚者花之所自成象以七政故有七莖謝者花之所自究復以極數故有九變此花之所自出皆陽而成數皆奇也根名梅之所自始象以二儀故有二體木者梅之所自放象以四時故有四向枝者梅之所自成象以六爻故有六成梢者梅之所自備象以八卦故有八結樹者梅之所自全象以足數故有十種此木之所自出皆陰而成數皆偶也不惟如此花正開者其形規有至圓之象花背開者其形矩有至方之象枝之向下其形俯有覆器之象枝之向上其形仰有載物之象于鬚亦然正開者有老陽之象其鬚七謝者有老陰之象其鬚六半開者有少陽之象其鬚三半謝者有少陰之象其鬚四蓓蕾者有天地未分

之象體鬚未形。其理已著。故有一丁二點而不加三點者。天地未分而人極未立也。花蕚者。天地始定之象。陰陽既分。盛衰相替。包含衆象。皆有所自。故有八結。九變。以及十種。而取象莫非自然而然也。

一丁

其法須是丁香之狀。貼枝而生。一左一右。不可相並。丁點須要端揖有力。無令其偏。丁偏。即花偏矣。

二體

謂梅根也。其法根不獨生。須分爲二。一大一小。以别

陰陽。一左一右。以分向背。陰不可加陽。小不可加大。然後爲得體。

三點

其法貴如丁字。上闊下狹。兩邊者連丁之狀。向兩中間者。據中而起。蒂蕚不可不相接。亦不可斷續也。

四向

其法有自上而下者。有自下而上者。有自右而左者。有自左而右者。須布左右上下取焉。

五出

其法須是不尖不圓隋筆而偏。分折如花開七分。則全露如半開則見其半正開者則見其全、不可、無、分、別也。

六枝

其法、有、偃、枝、仰、枝。覆、枝、從、枝、分、枝、折、枝。凡作枝之際須、是、遠、近、上、下、相、間、而、發、庶、有、生、意、也、

七鬚

其法須是勁其中勁長而無英。側六莖短而不齊長者。乃結子之鬚。故不加英。蚁之味酸短者乃從者之

鬚故加英點蚁之味苦。

八結

其法有長梢短梢嫩梢叠梢交梢孤梢。分梢怪梢須是取勢而成隨枝而結若、任、意、而、成、無、體、格、也。

九變

其法一丁而蓓蕾。蓓蕾而萼萼而漸開。漸開而半折半折而正放。正放而爛熳。爛熳而半謝。半謝而荐酸

十種

其法有枯梅新梅繁梅山梅疎梅野梅。官梅園梅江

梅盤梅其木不同不可無別也

畫梅全訣

畫梅有訣立意爲先起筆捷疾如狂如顛手如飛電切莫停延枝柯旋衍或直或彎蘸墨濃淡不許再填根無重折花梢忌繁新枝似柳舊枝類鞭弓梢鹿角要直如絃仰成弓體覆號釣竿氣條無萼根直指天枯宜突眼助條莫穿枝不十字花不全兼左枝易布右去爲難全藉小指送陣引班枝留空眼花着其間添增其半花神自完枝嫩花獨枝老花慳不嫩不老

芥子園畫譜 卷三 一三

花意纏綿老嫩依法分新舊年鶴膝屈揭龍鱗老斑枝宜抱體梢欲渾全萼有三點當與蒂聯正萼五點背萼圓圈枯無重眼屈莫太圓花分八面有正有偏仰覆開謝含笑將殘傾側諸瓣風梅棄捐闊處莫冗踈處莫閒花中特異幽馥玉顏二花悷獨高頂上安梢鞭如刺梨梢似鳥花中錢眼畫花發端花鬚排七健如虎鬚中長邊短碎點綴粘椒珠蝌眼映趁花妍聿分輕重墨用多般蒂萼深墨蘚喜濃烟嫩枝梢淡宿枝輕刪枯樹古體半墨半乾刺塡缺庭鱗句節灘

苞有多名花品亦然身莫失女彎曲折旋遵此模範應作奇觀造無盡意只在精嚴斯爲標格不可輕傳

畫梅枝幹訣

先把梅根分女字大枝小梗節虛招花頭各樣塡虛處淡墨行根焦墨稍幹少花頭生幹出缺花枝上再添描氣條直上冲天長切莫添花意自饒

畫梅四貴訣

貴稀不貴繁貴瘦不貴肥貴老不貴嫩貴含不貴開

畫梅宜忌訣

寫梅五要發幹在先一要體古屈曲多年二要幹恠麄細盤旋三要枝清最戒連綿四要梢健貴其遒堅五要花奇必須媚妍梅有所忌起筆不顚先輩定論着花不黏枯枝無眼交枝無潛樹嫩多刺枝空花攢枝無鹿角身無體端蟠曲無情花枝冗繁嫩枝生蘚梢條一般老不見古嫩不見鮮外不分明內不顯然筆停竹節助條上穿氣條生蕚蝌眼重聯枯重眼輕體無女安枝梢散亂不抱體彎風不落英聚花如拳花不具名稀亂勻塡其病犯之皆不足觀

畫梅三十六病訣

枝成指撚。落筆再塡。停筆作節。起筆不顛。枝無生意。枝無後先。枝老無刺。枝嫩刺連。落花多片。畫月取圓。樹老花繁。曲枝重叠。花無向背。枝無南北。雪花全露。參差積雪。寫景無景。有烟有月。老幹墨濃。新枝墨輕。過枝無花。枯枝無蘚。挑處捲強。圈花太圓。陰陽不分。賓主無情。花大如桃。花小如李。葉條寫花。當抒起蕊。樹輕枝重。花併犯忌。陽花犯少。陰花過取。雙花竝生。二本竝舉。

畫梅起手式

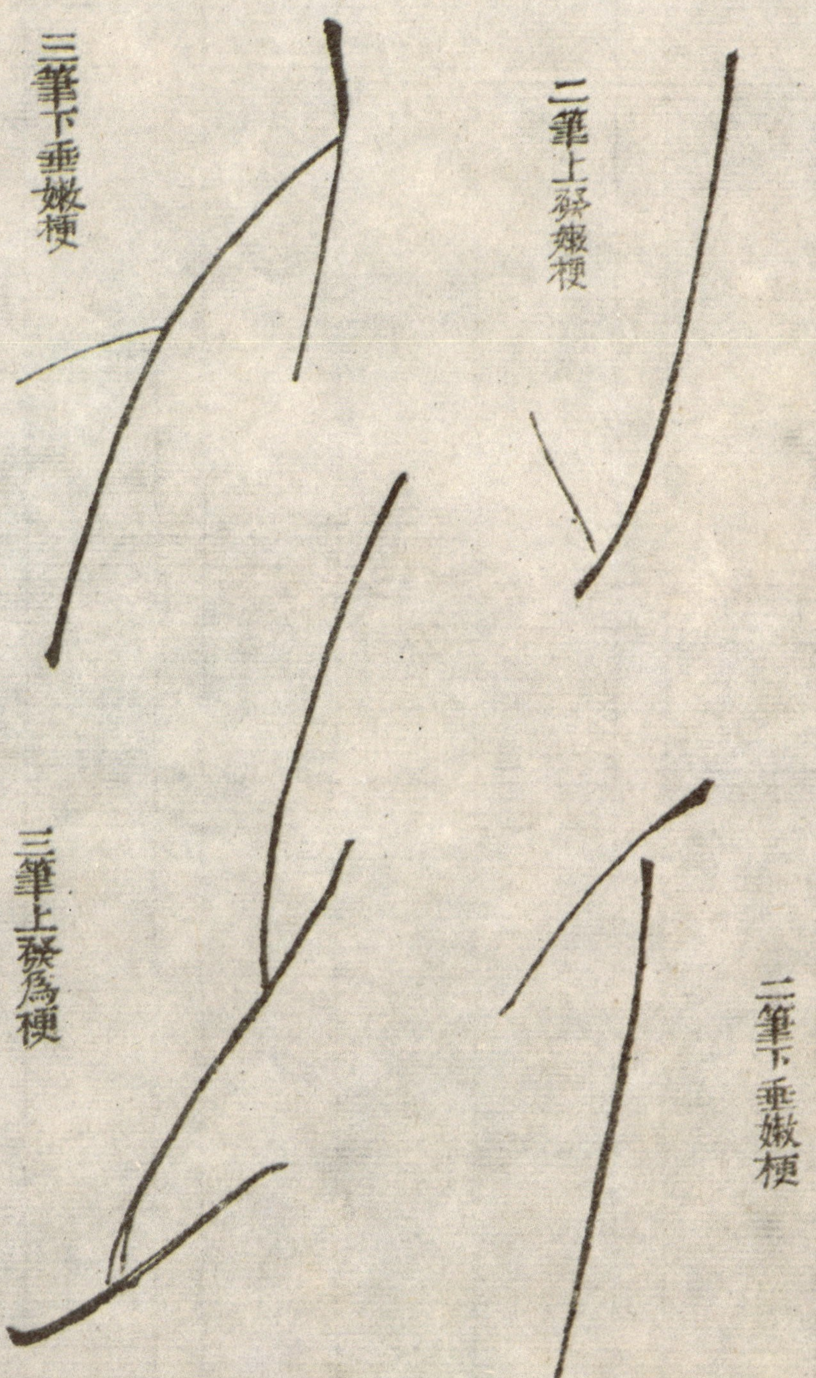

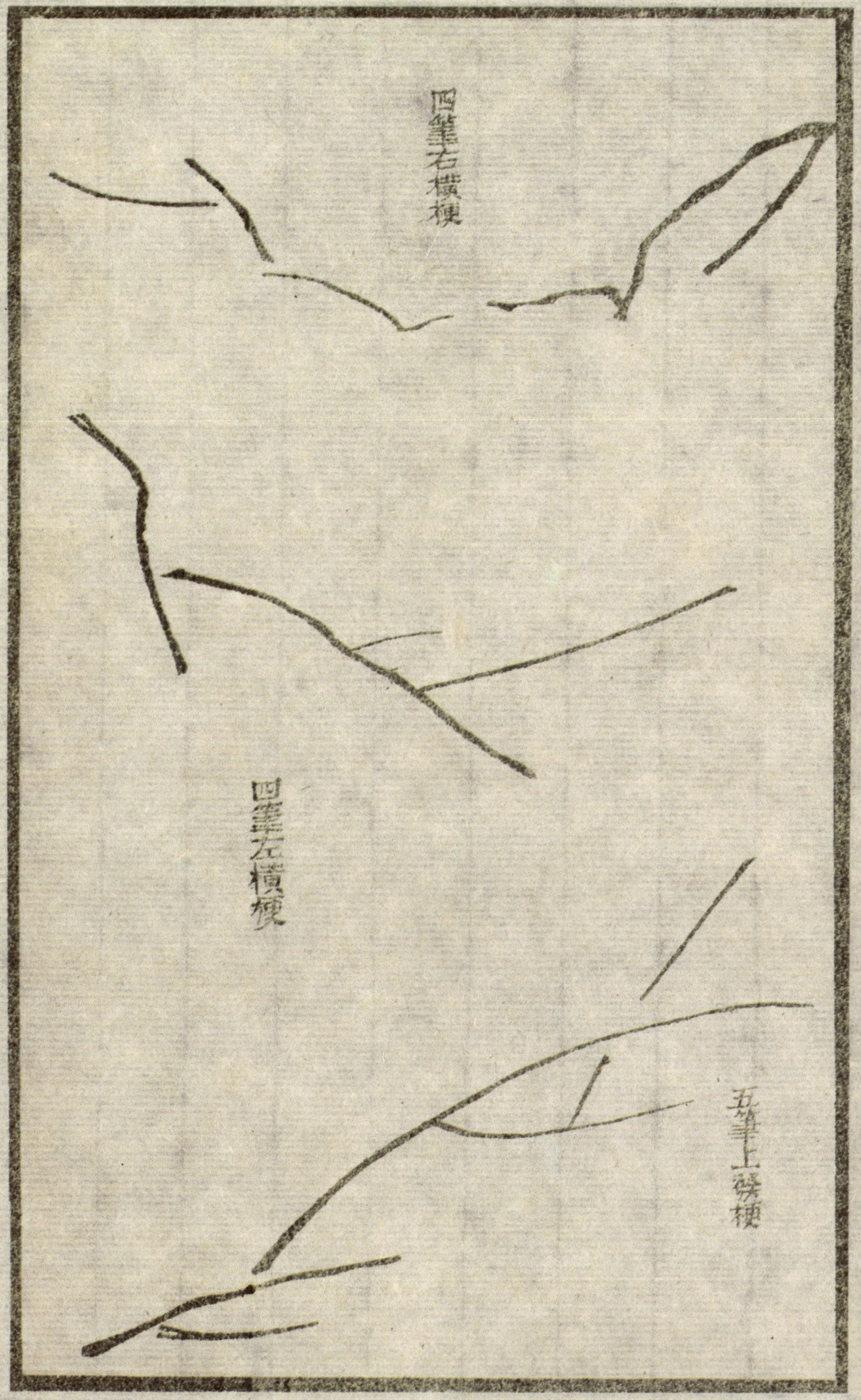

畫梗生枝式

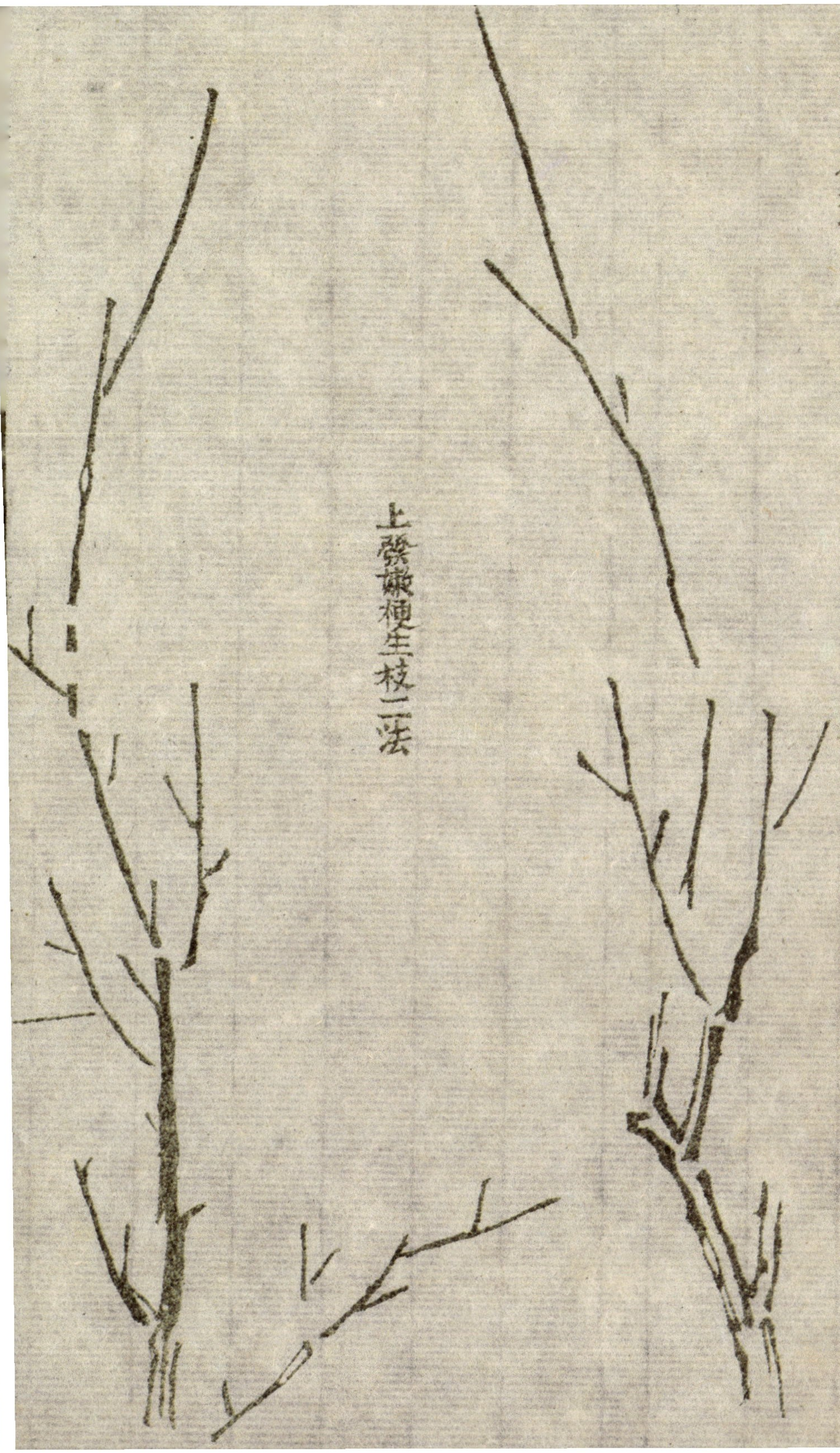

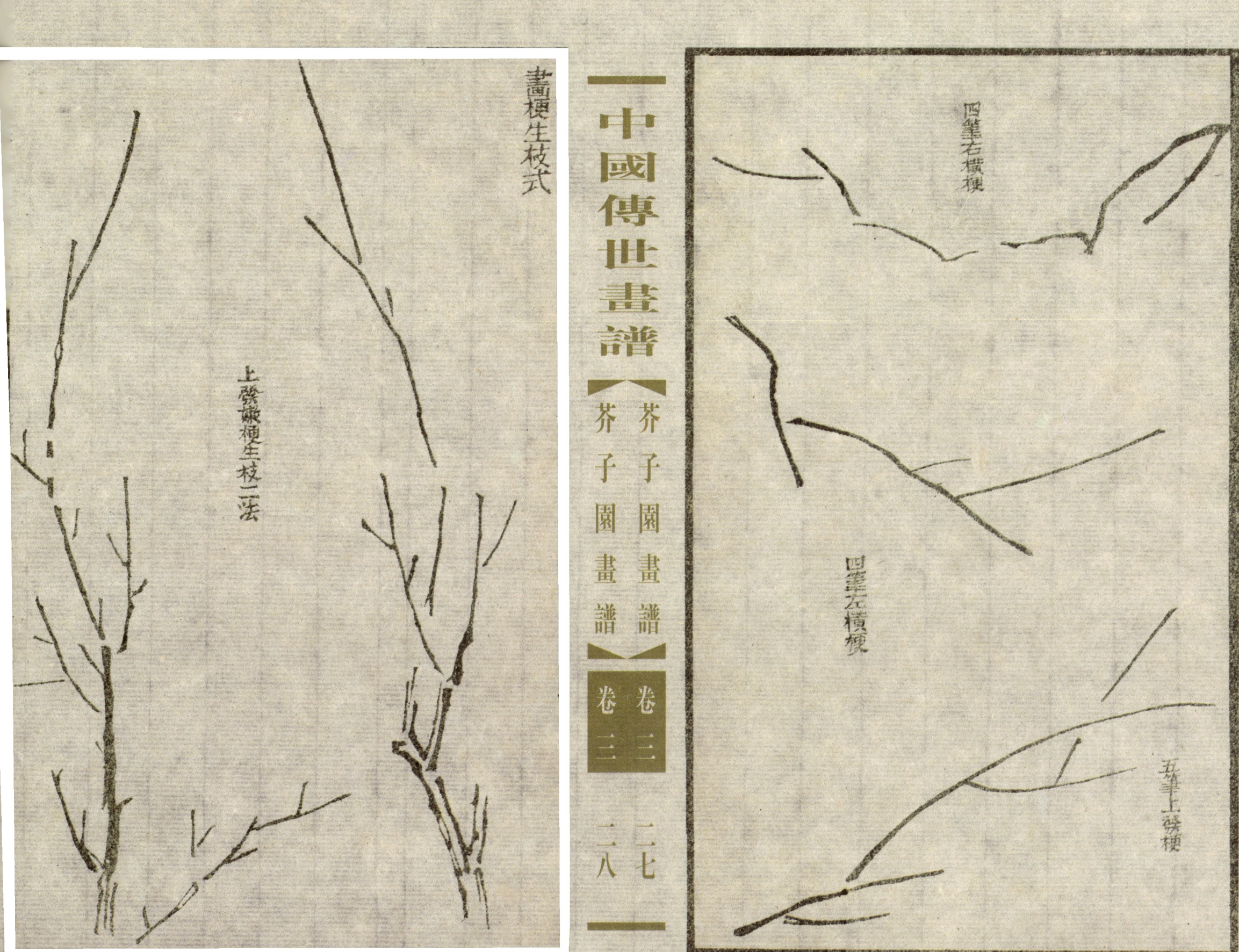

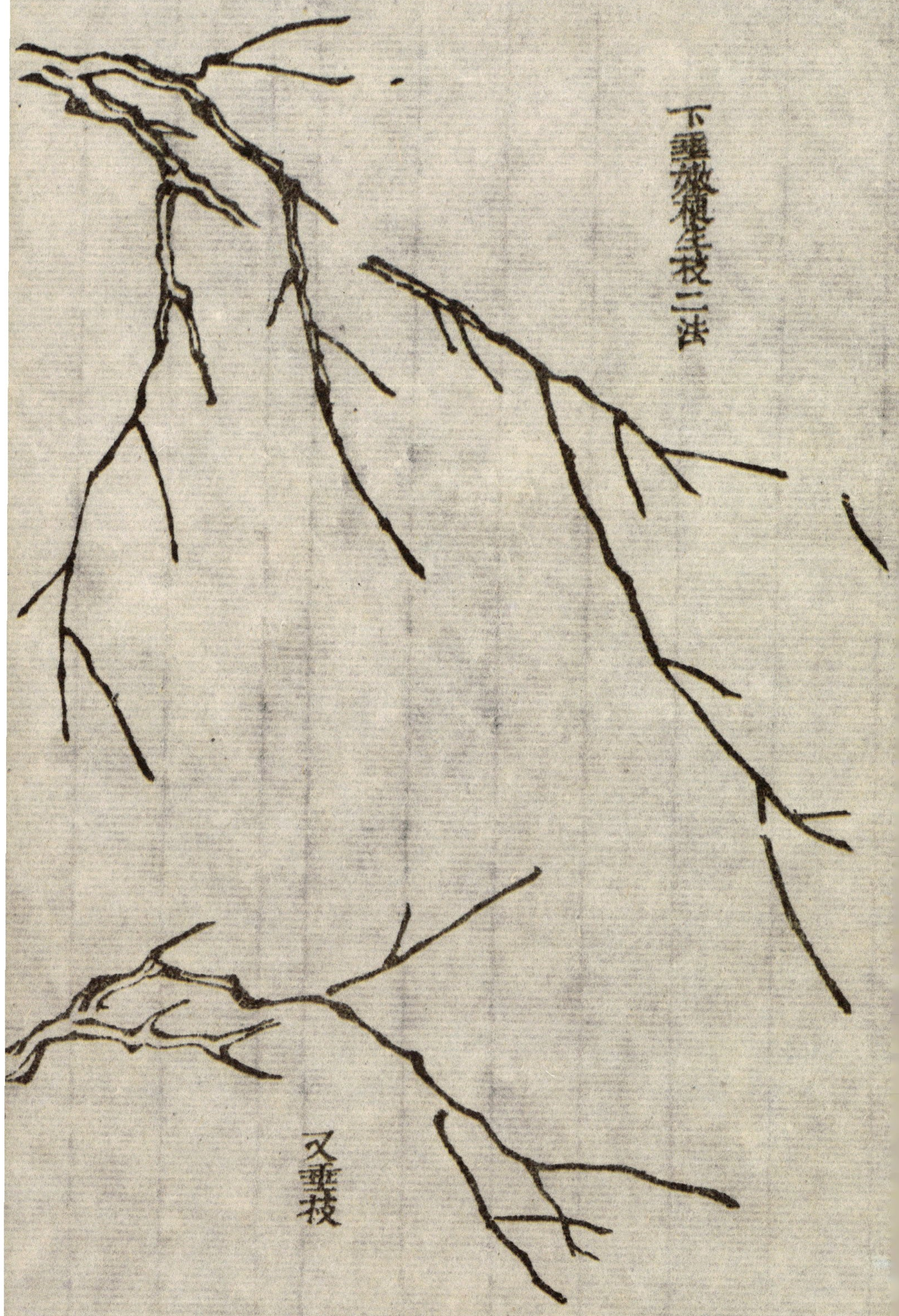
下垂嫩梗生枝二法
又垂枝

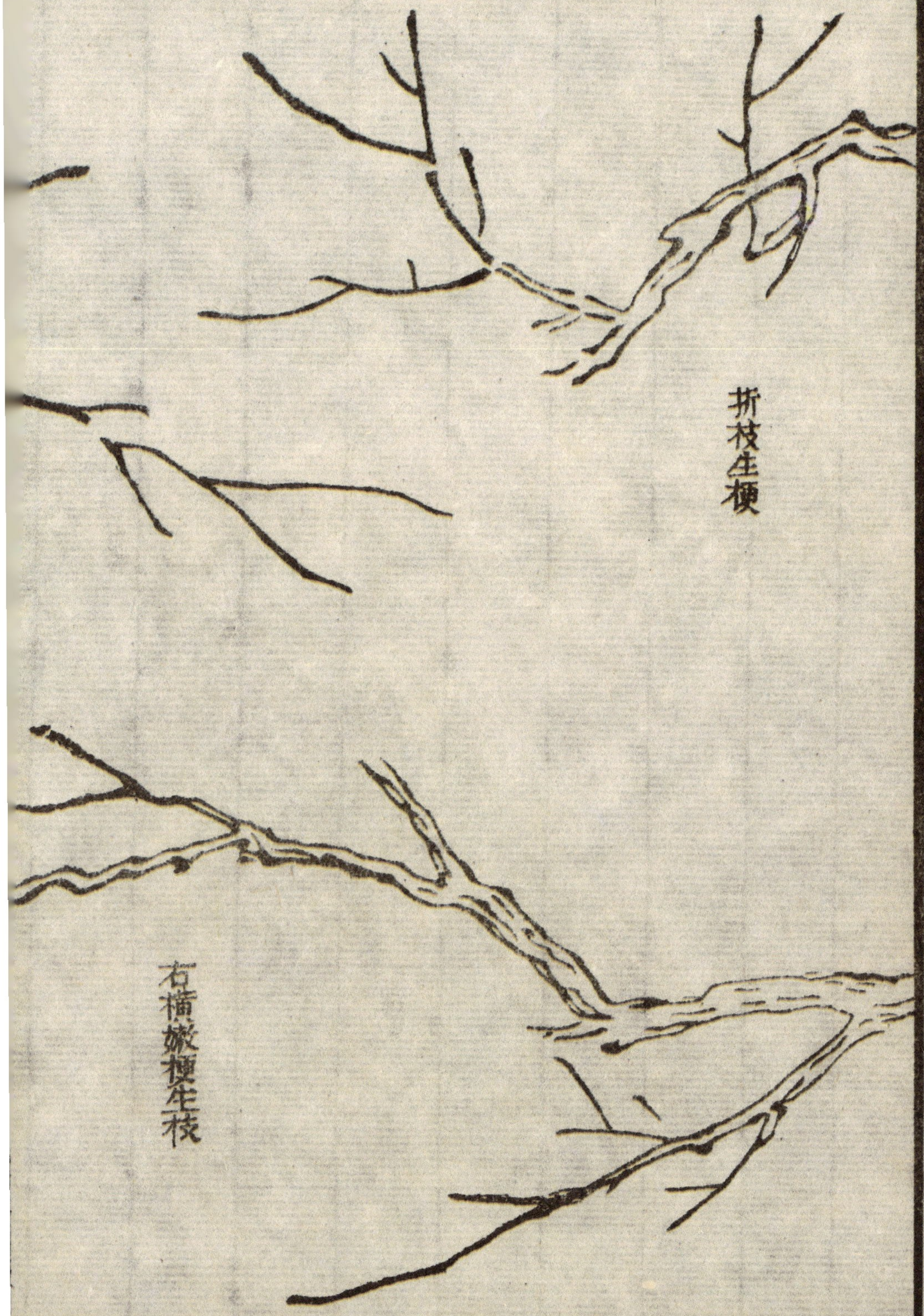
折枝生梗
右橫嫩梗生枝

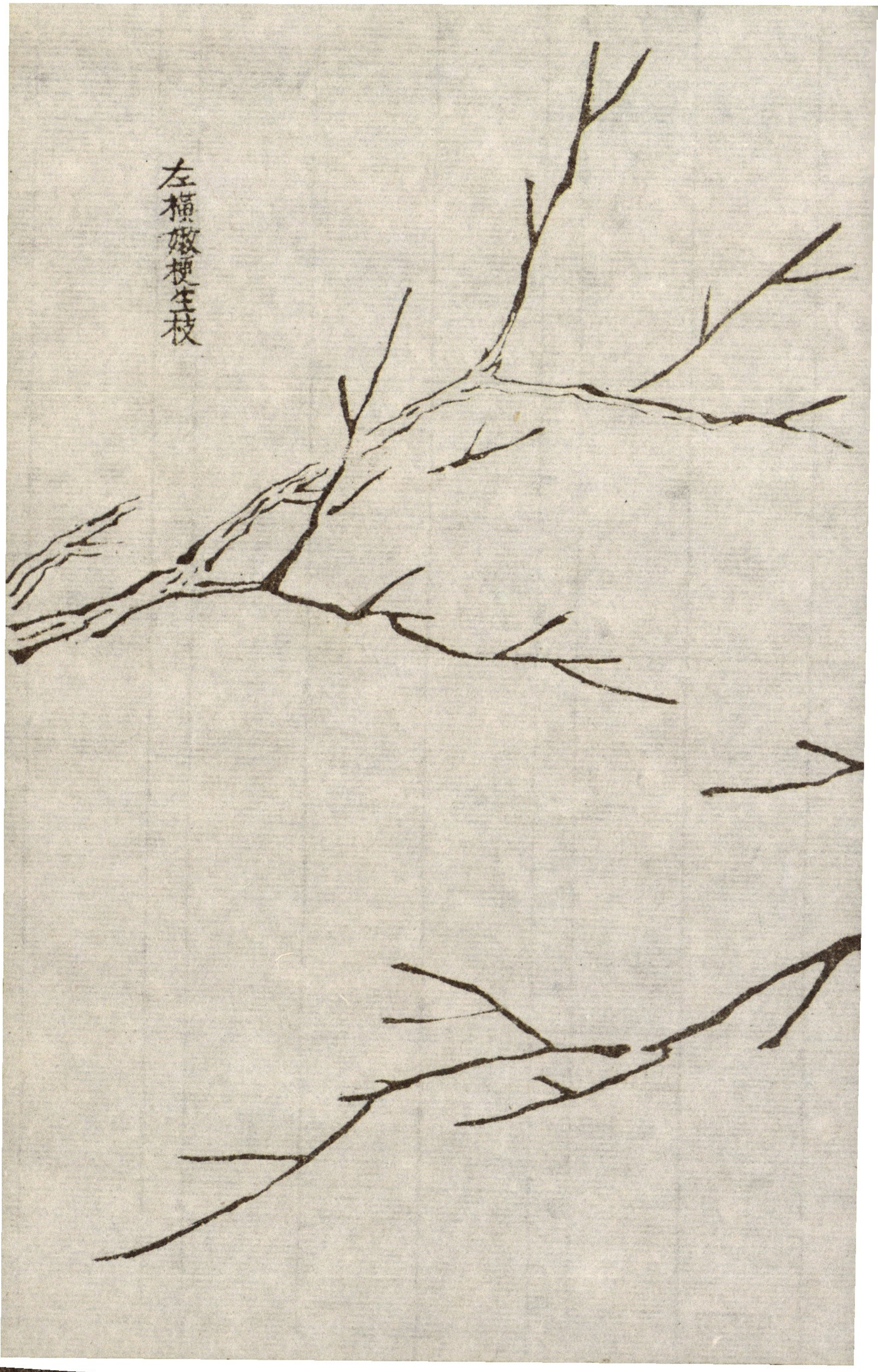

芥子園畫譜 卷三 三二

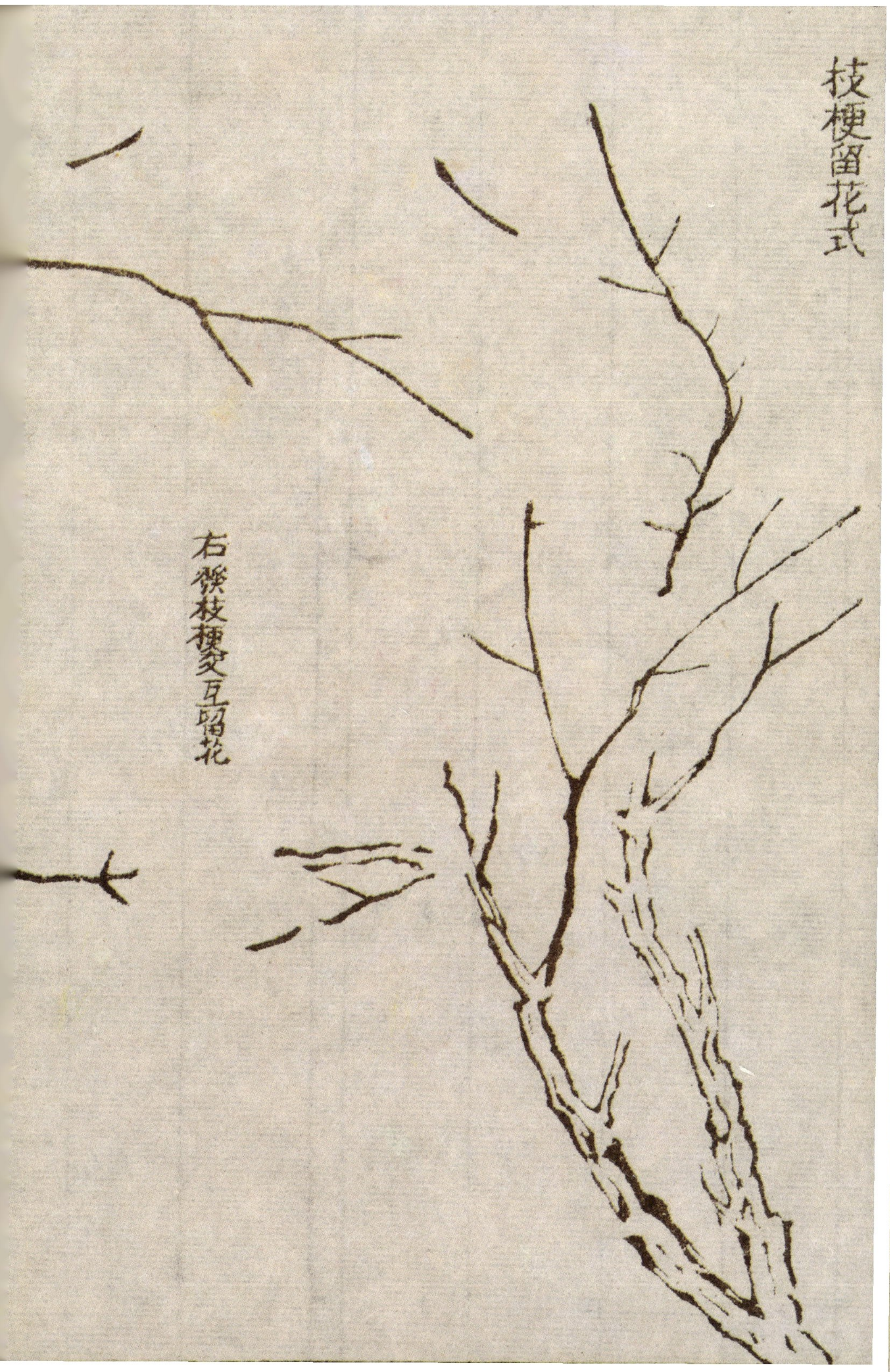

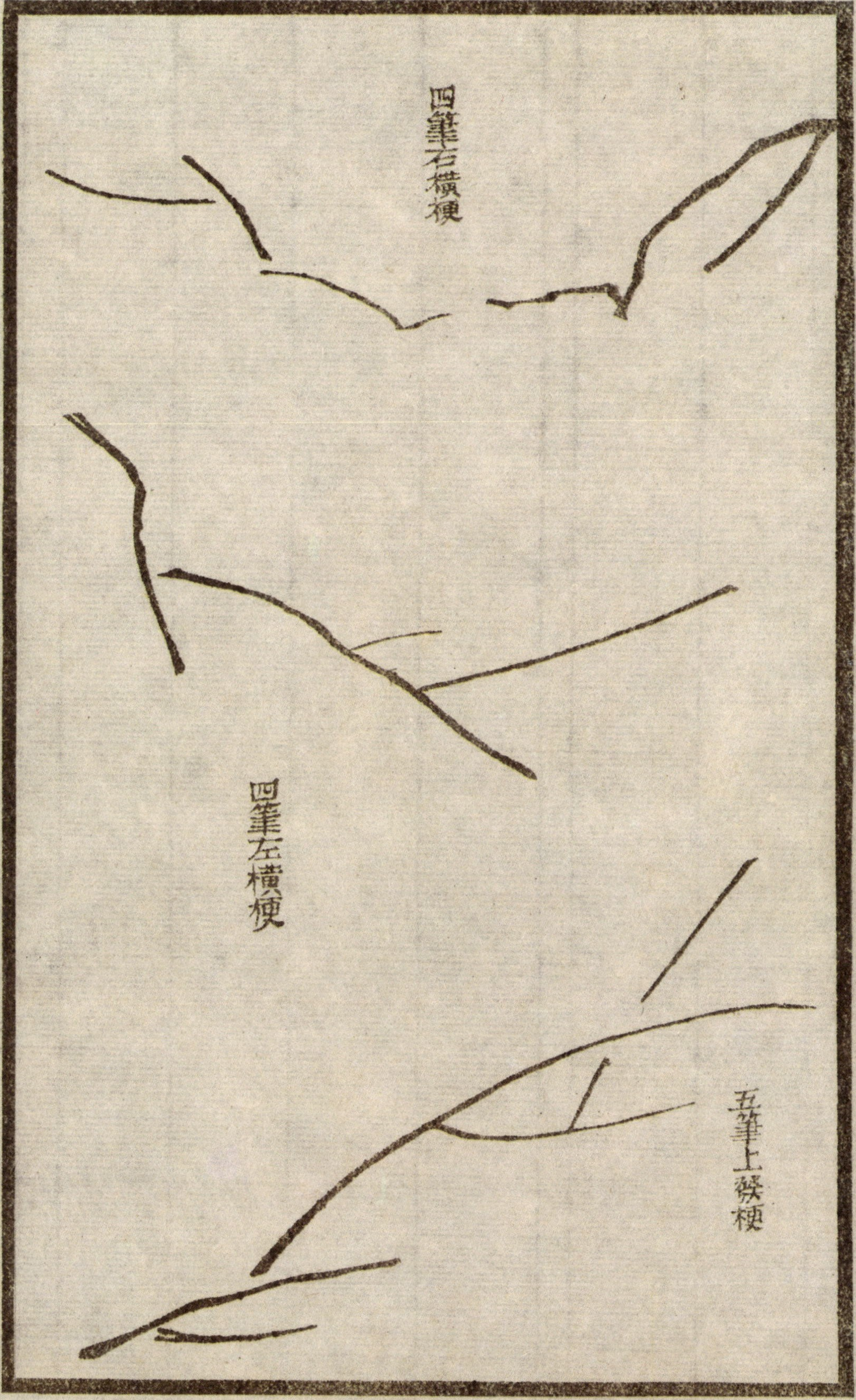

畫梗生枝式

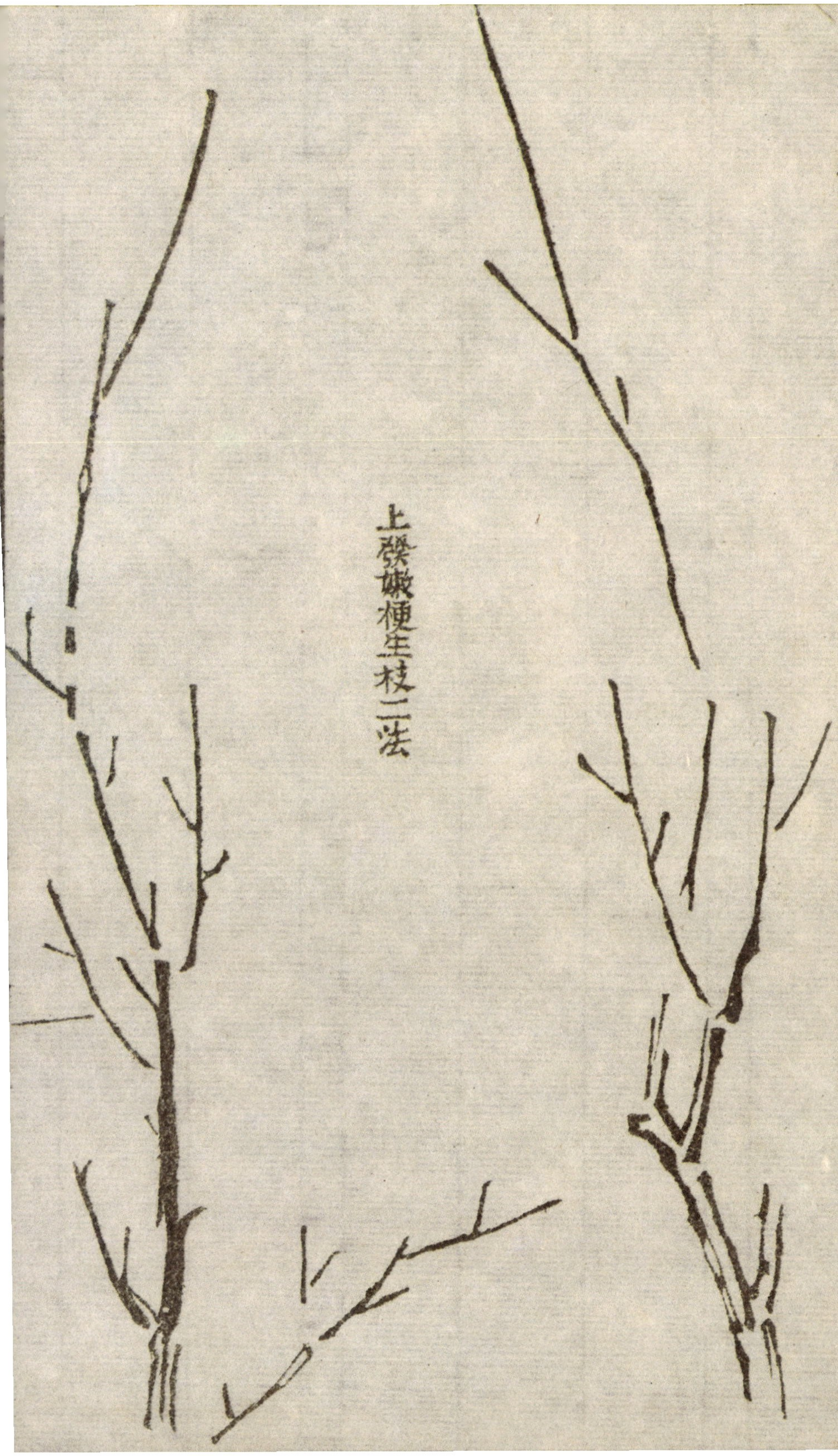

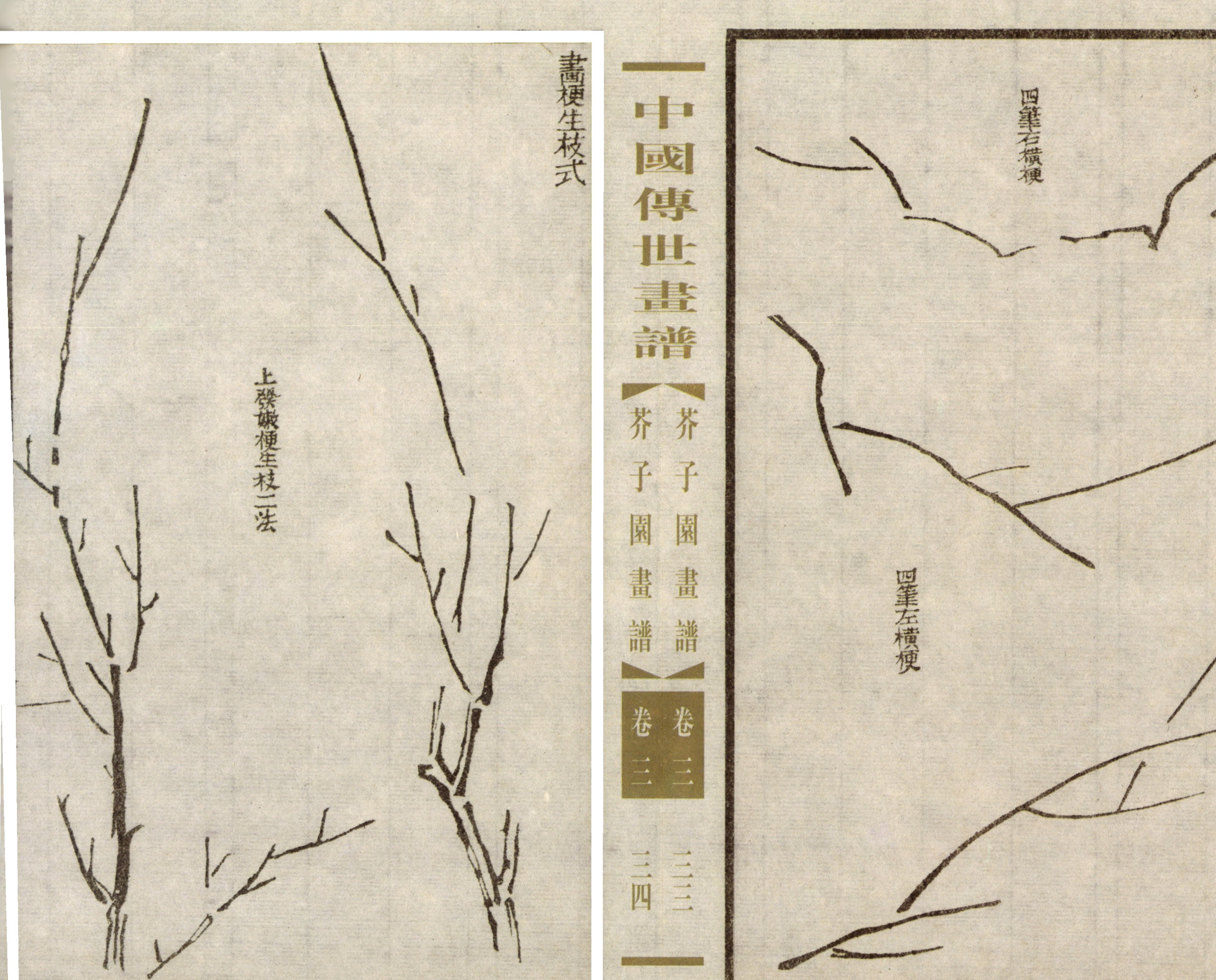

畫根式

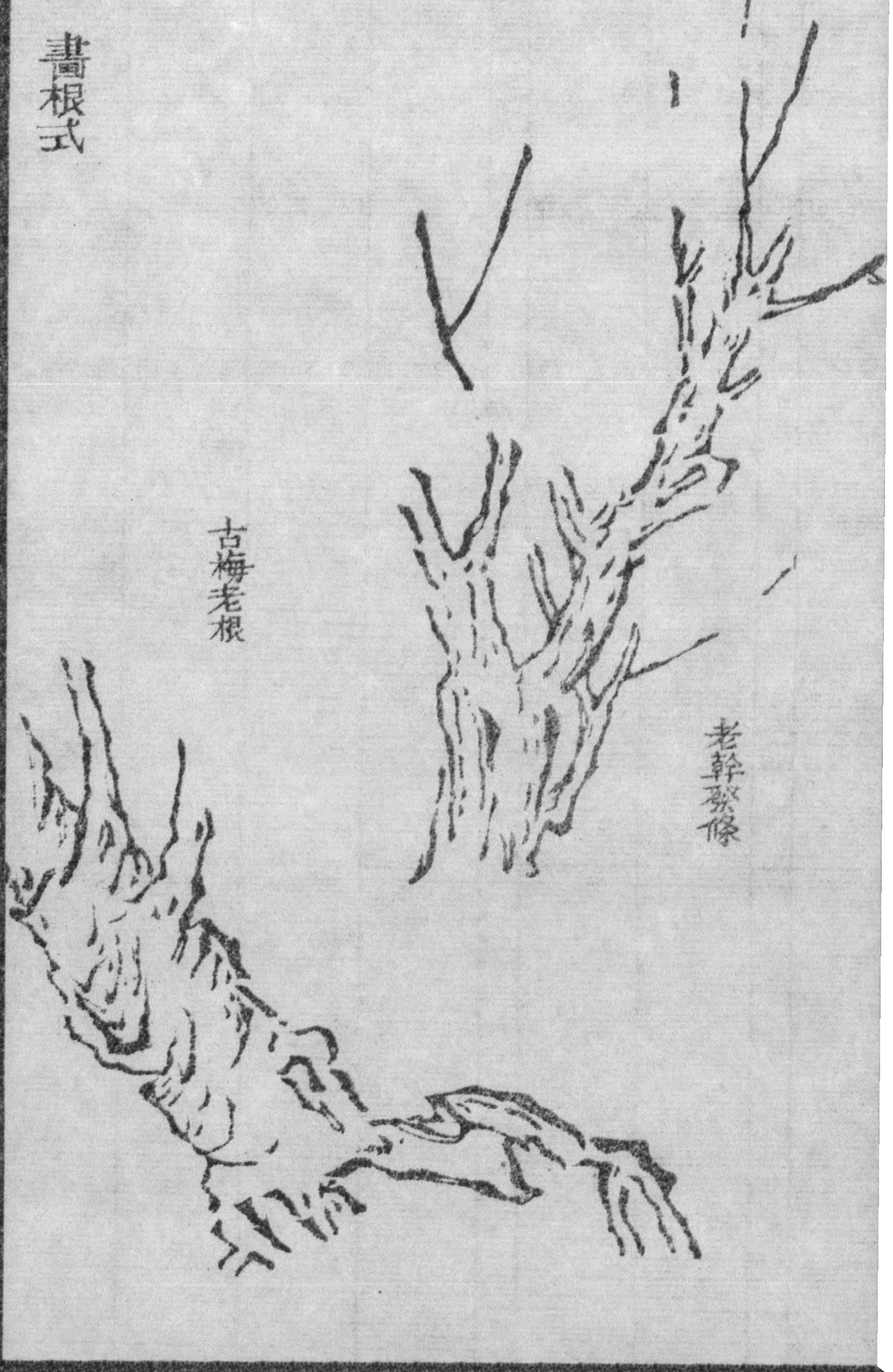

畫花式

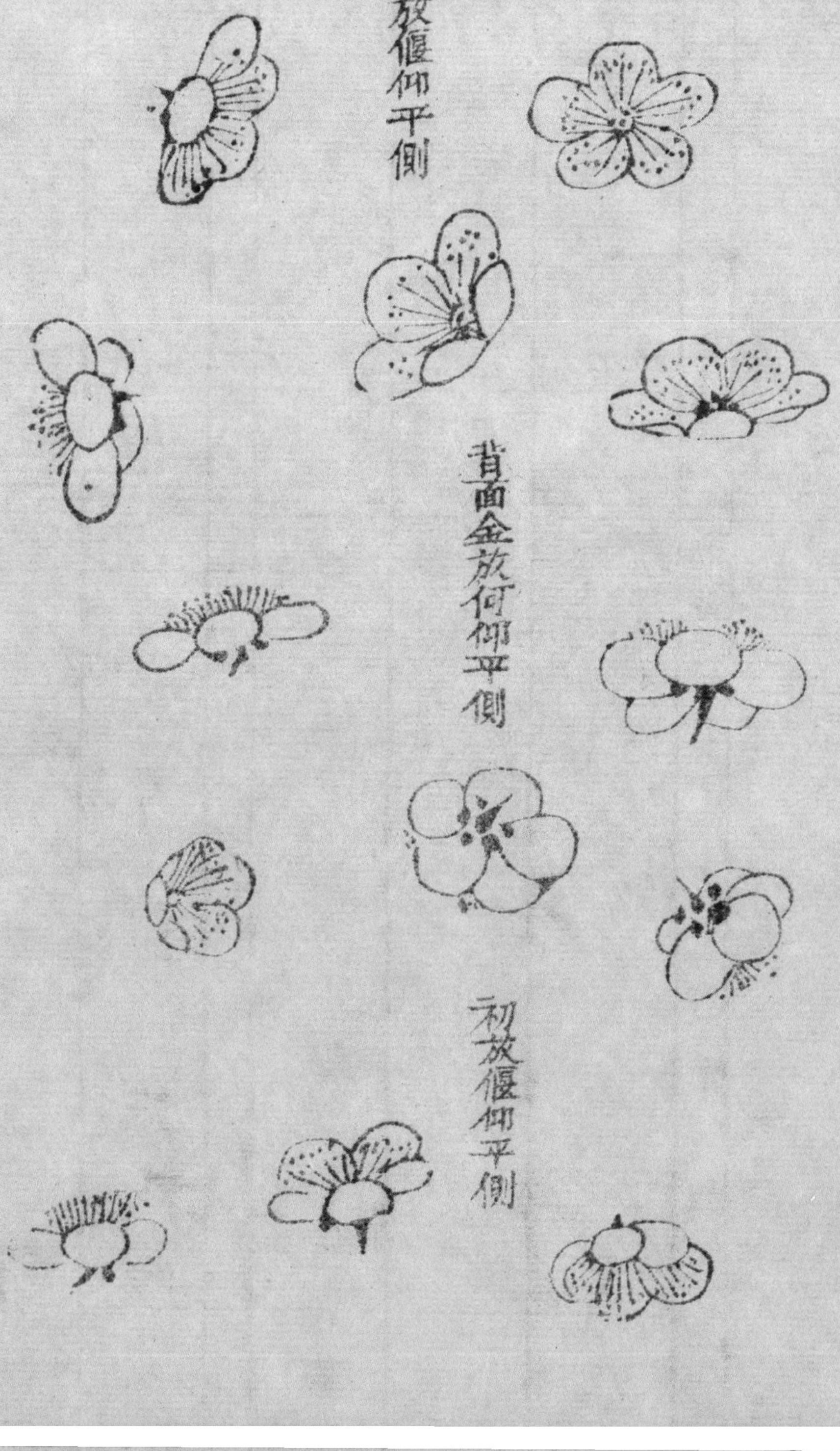

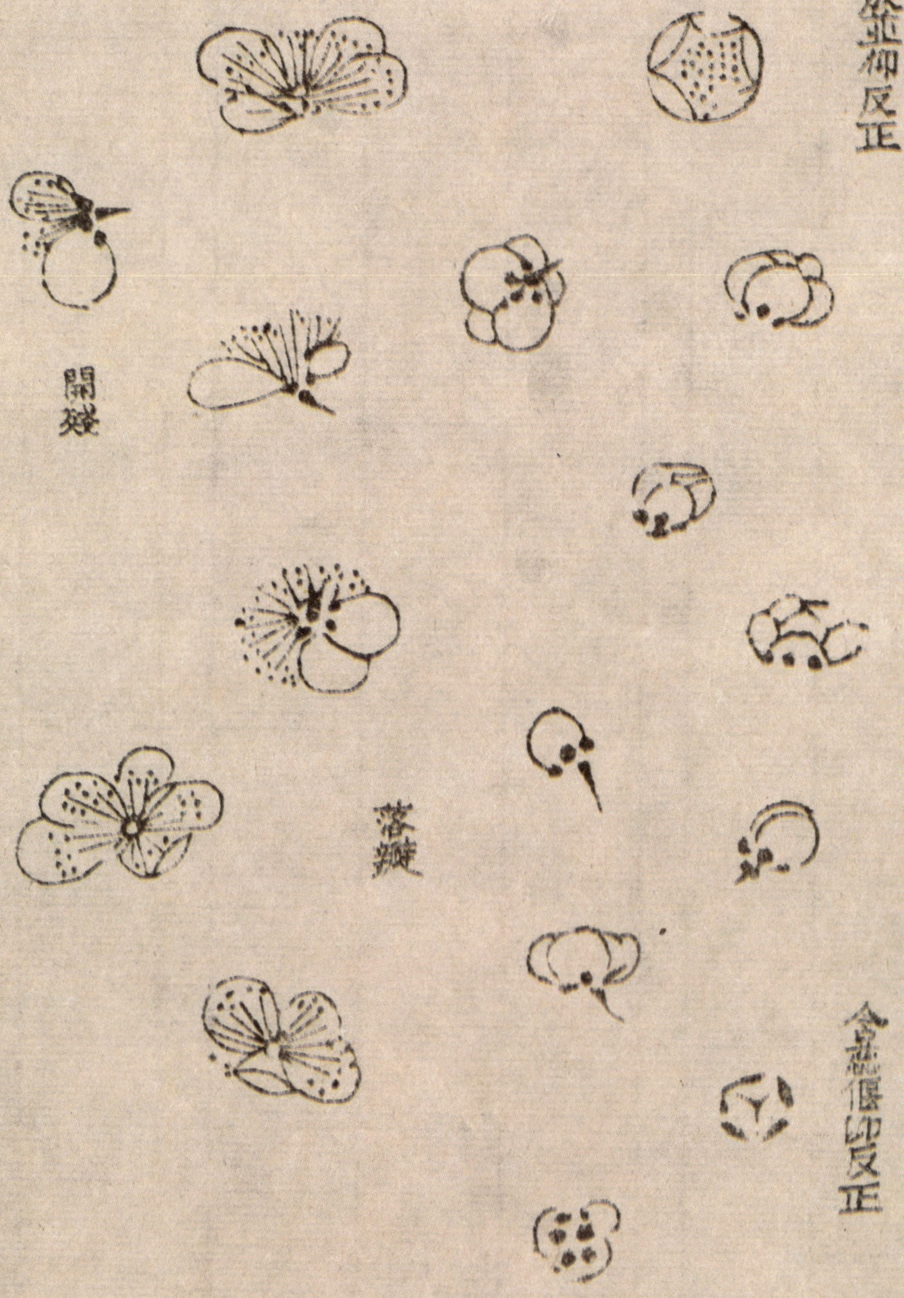
將放並仰反正
開殘
落瓣
全放偃仰反正

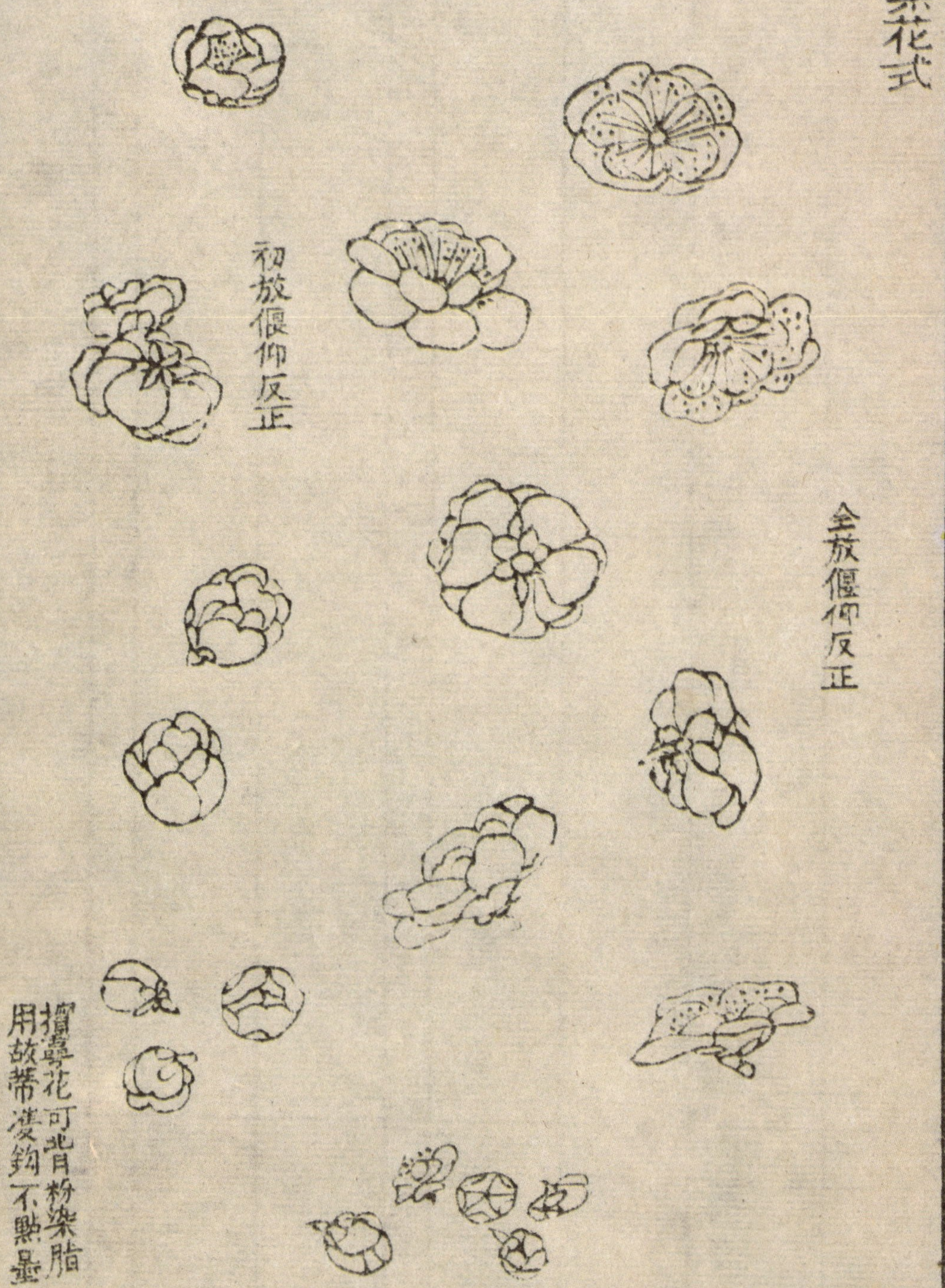
千葉花式
初放偃仰反正
全放偃仰反正
擋萼花可背粉染胎用故蒂淺鈎不點暈

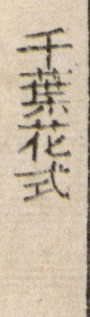

畫梅花生枝式

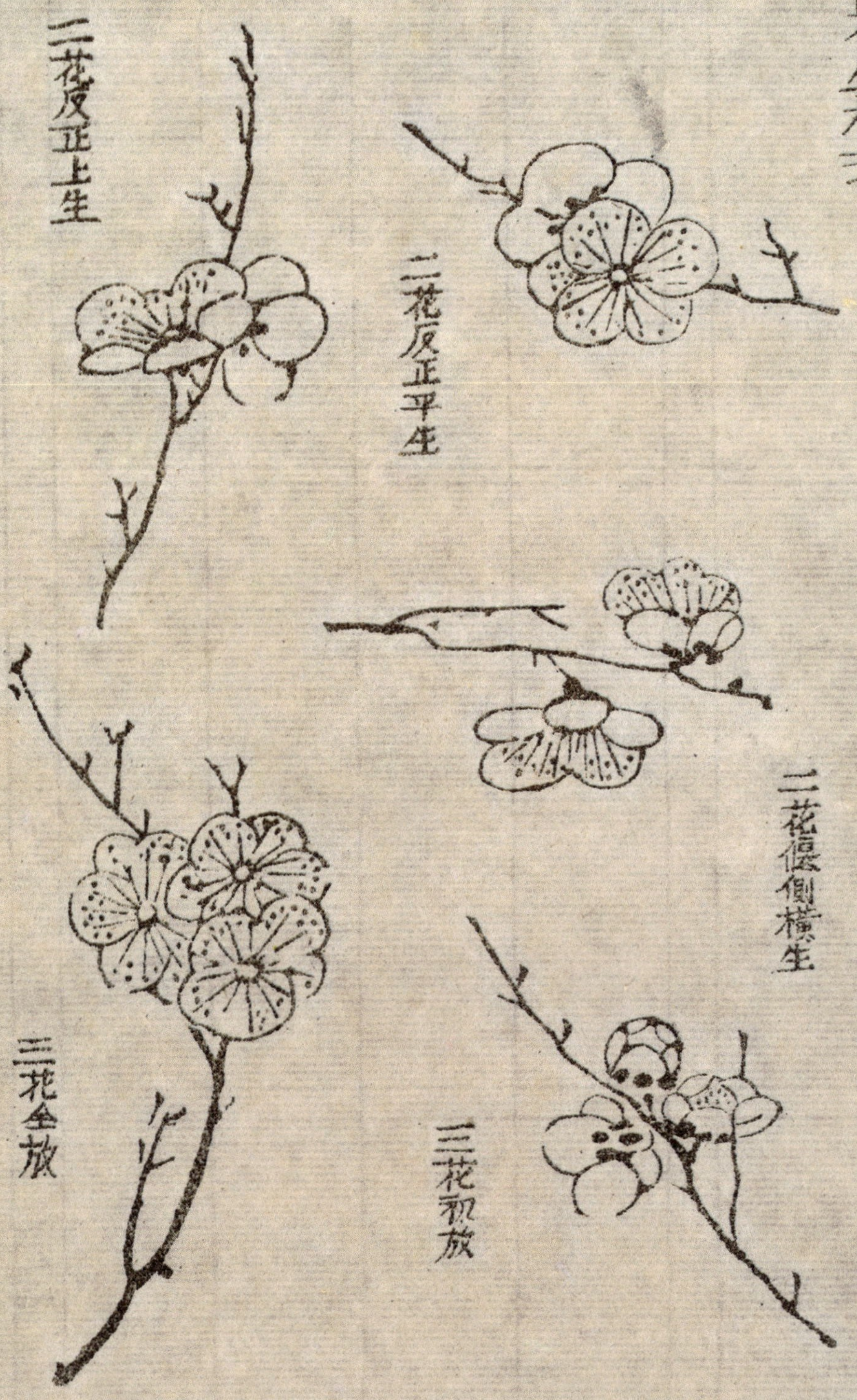

花鬚蕊蒂式

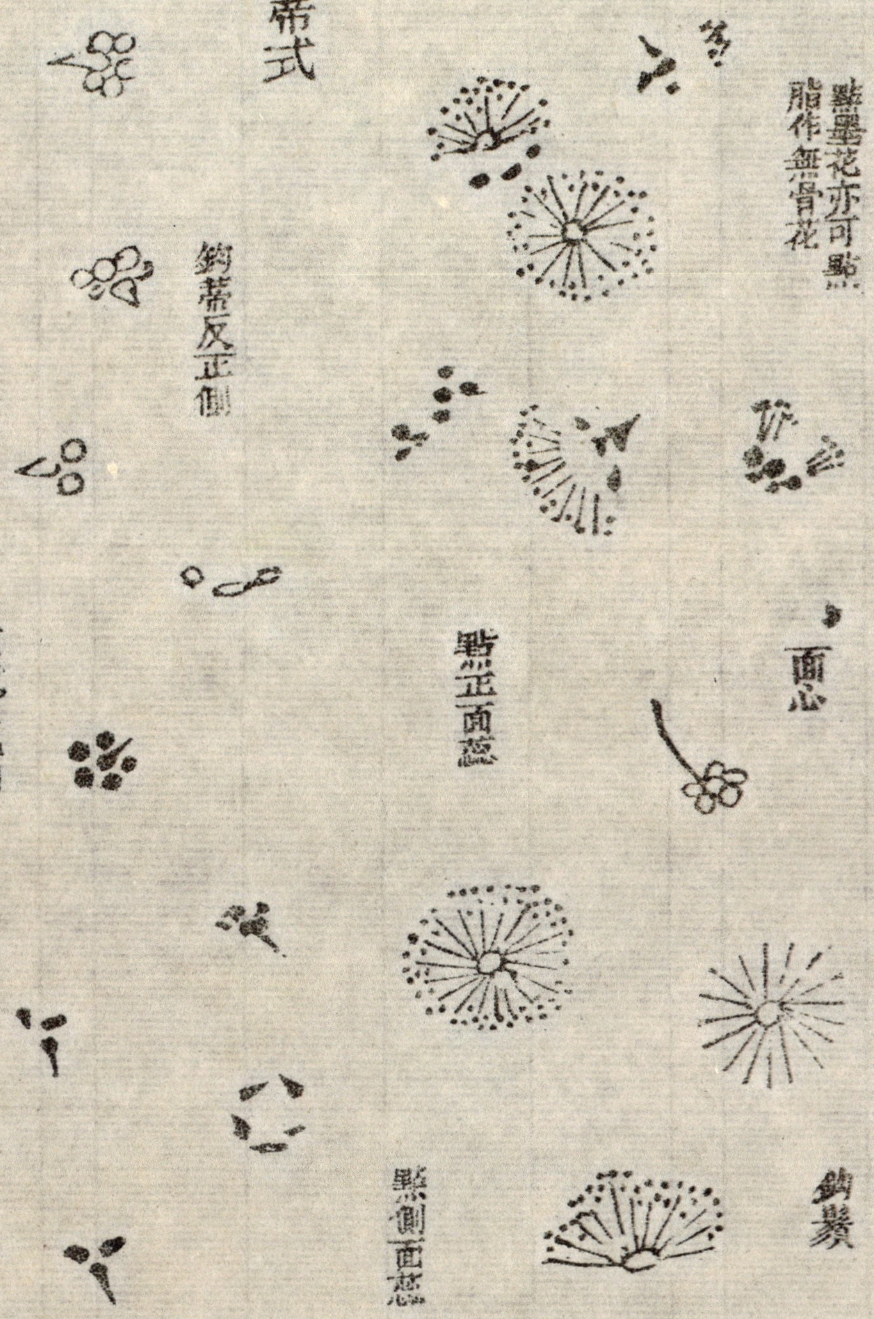

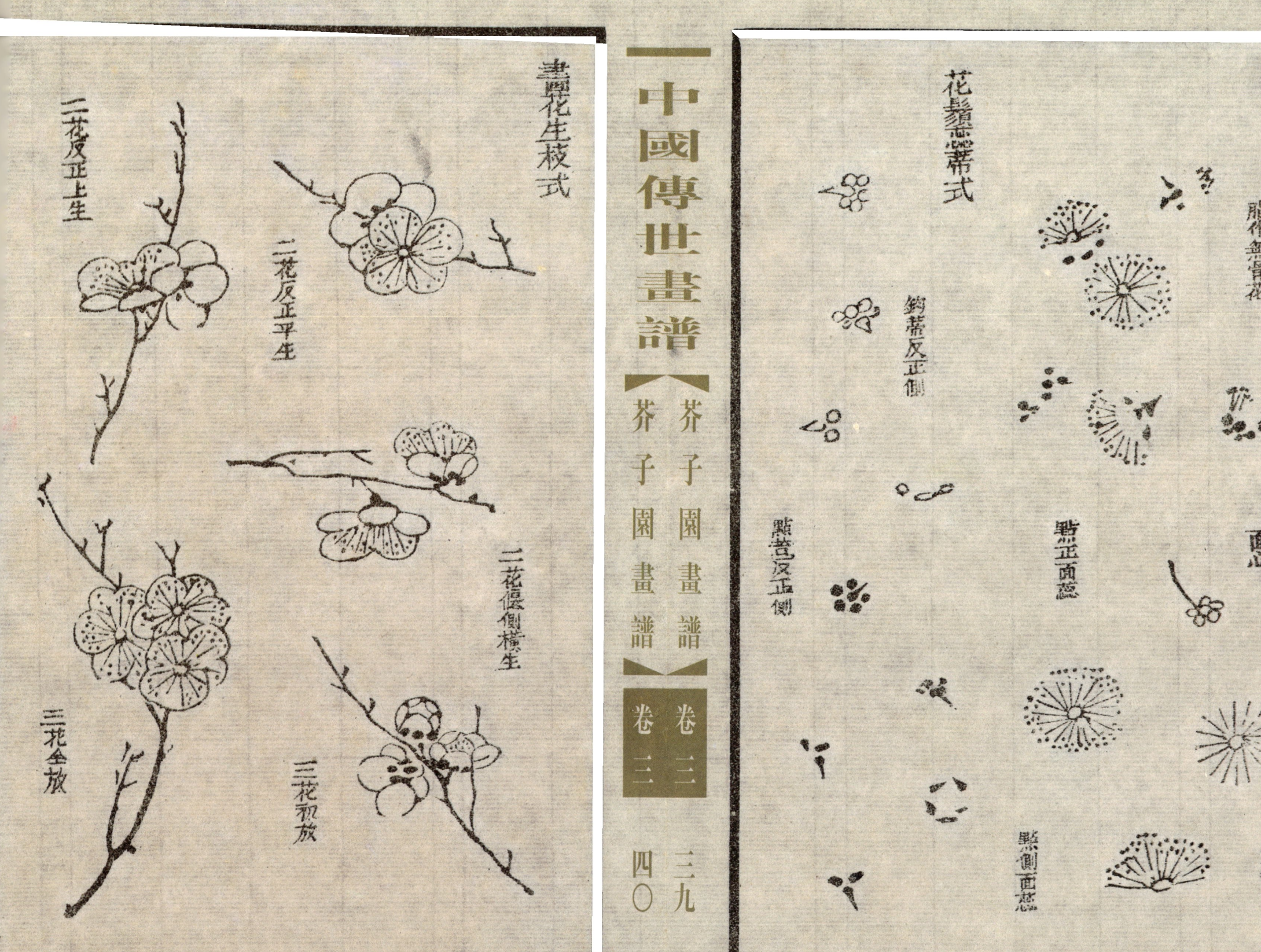

芥子園畫譜 卷三

花蕚生枝點芽式

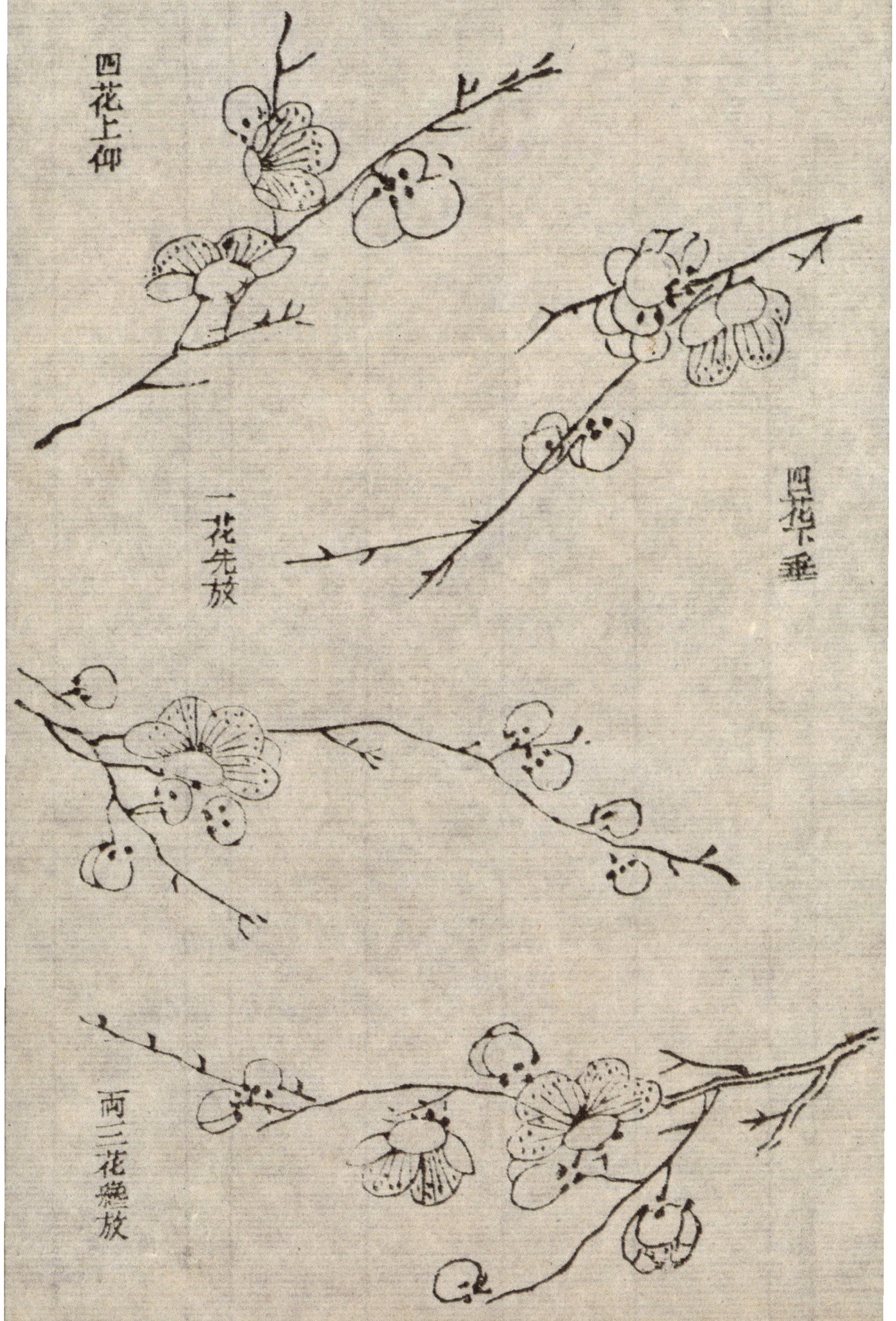

全榦生枝添花式

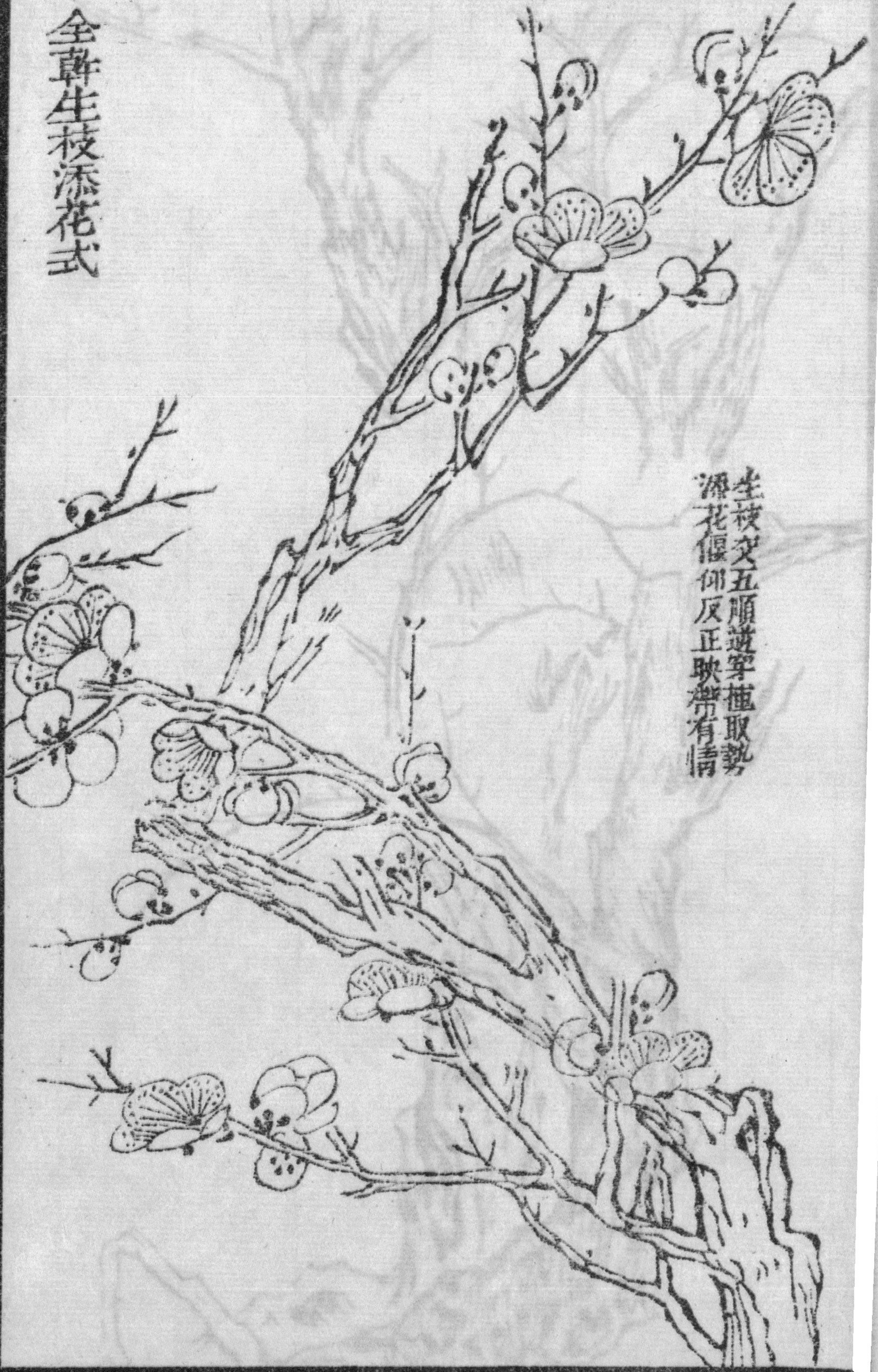

生枝交互順逆穿插取勢
添花偃仰反正映帶有情

全樹式
老梅發榦皴皮生枝留花根梢
具榭之全體可展爲大幅用之

梅之有花未經風騷收録直至孤山處士品題後始覺聲價頓高不獨宋以前無佳句傳神亦未聞有耑家以筆寫肖也惟水影橫斜月香浮動可出而神形如畫奚待施筆墨與脂粉為裁此梅圖二十幅雖琢玉團冰染脂漬墨各備形色以求其臨風映月照夜橫溪之致尚恐刻畫無鹽未免唐突西子然其暗香疏影溪雪春風四圖並光山長老已先竊取之

辛巳冬月續水王蓍識于莫愁湖邨之索笑軒中

中國傳世畫譜

芥子園畫譜

卷三

四九

芥子園畫譜

卷三

五〇

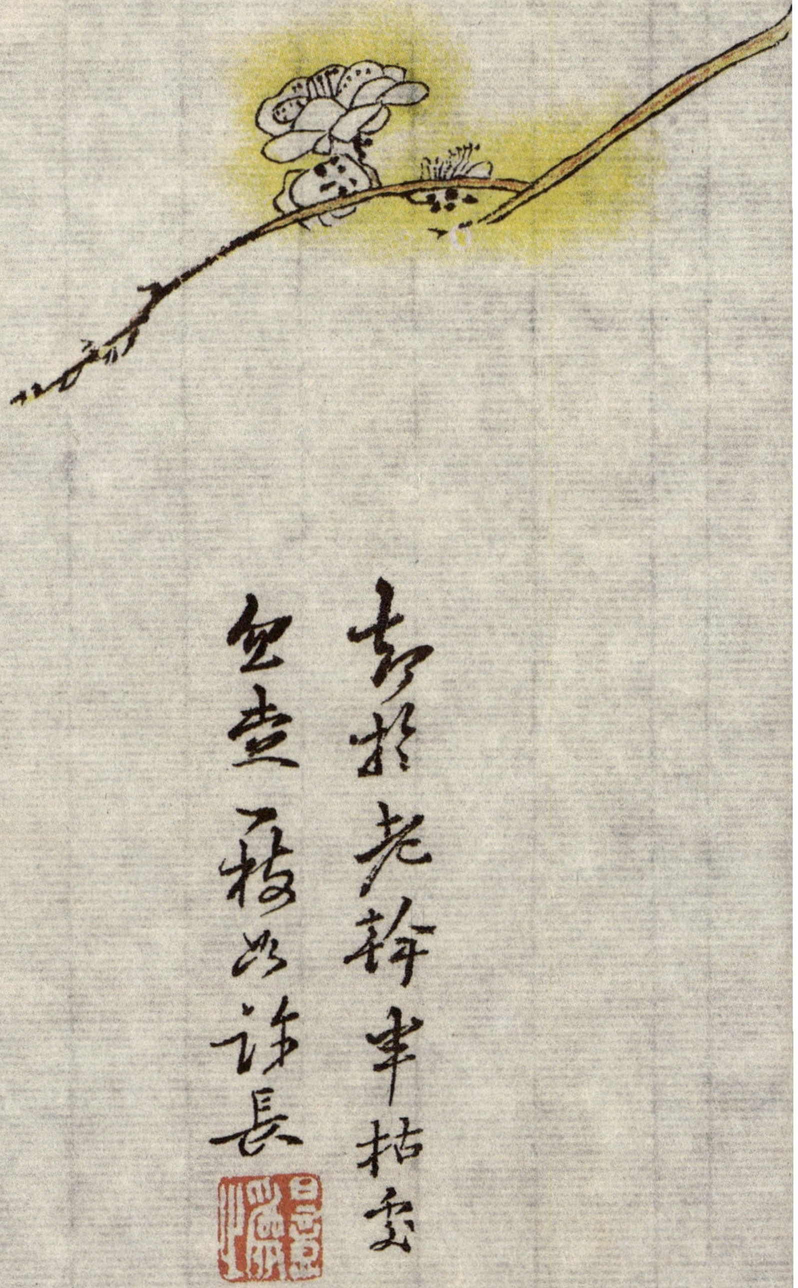

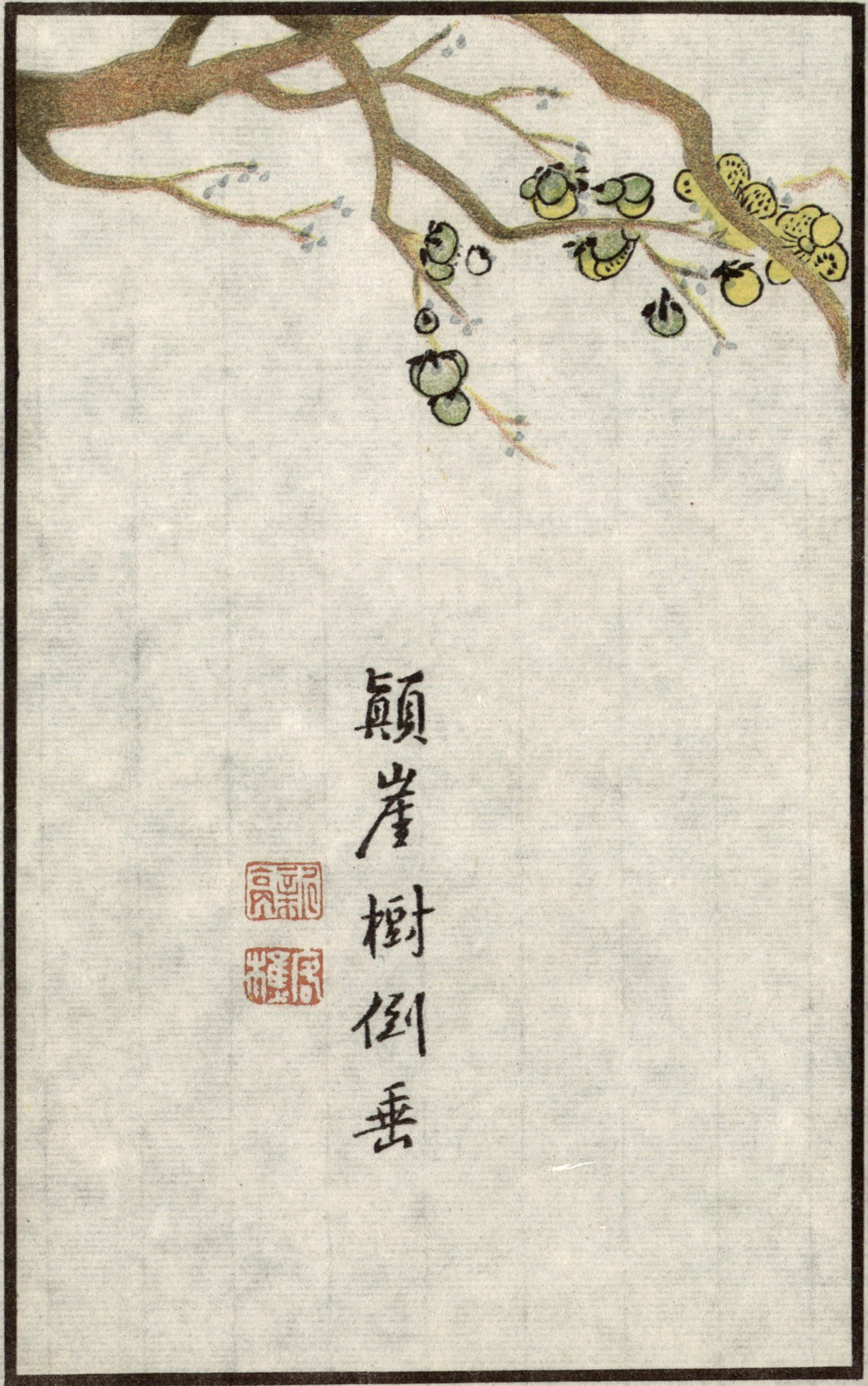
顛崖樹倒垂

天然標格小
萼堆紅芳姿
凝白

中國傳世畫譜

芥子園畫譜

卷三

五三

芥子園畫譜

卷三

五四

中國傳世畫譜

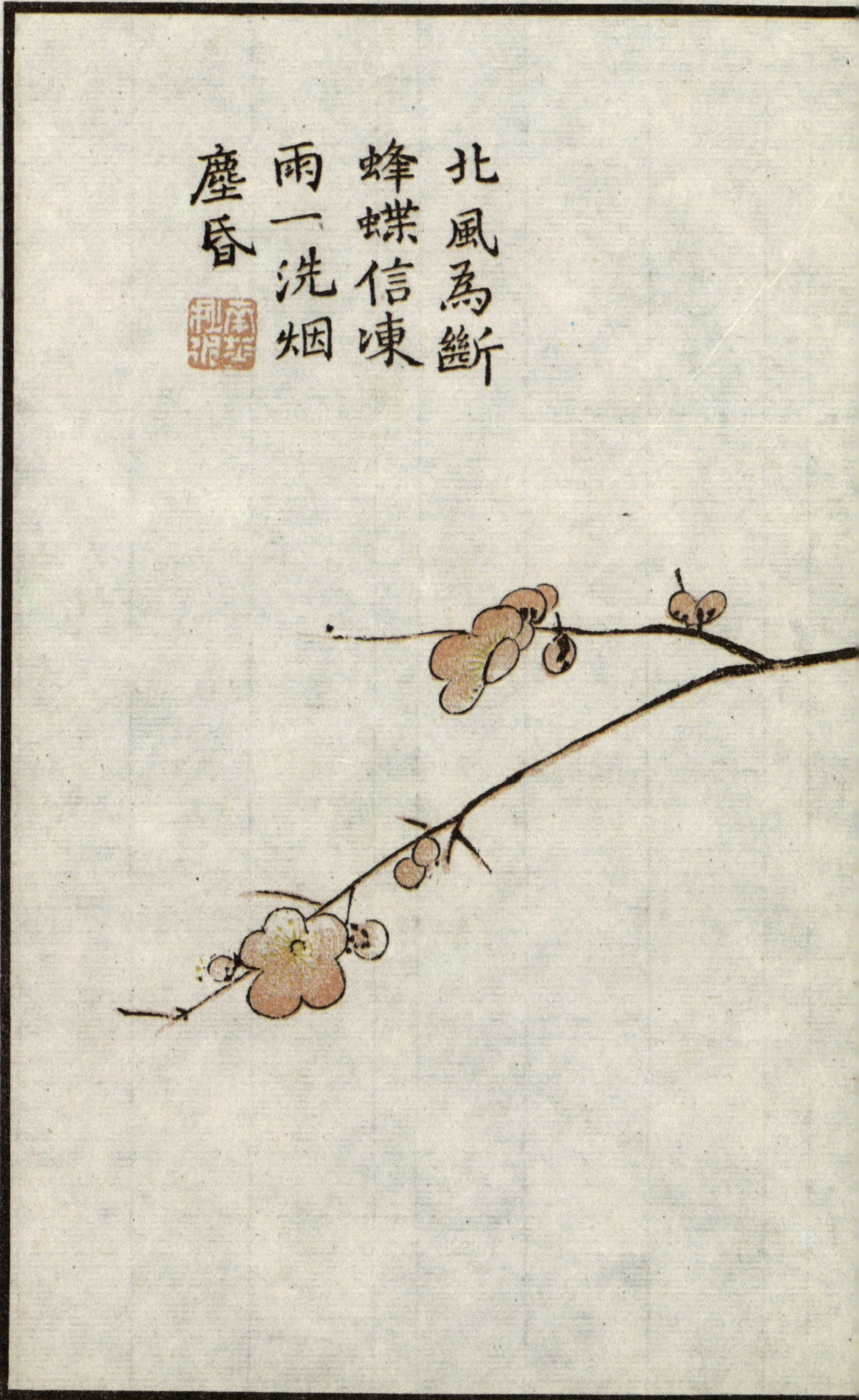
北風爲斷蜂蝶信凍雨一洗烟塵昏

芥子園畫譜 卷三

中國傳世畫譜

芥子園畫譜 卷三 六五

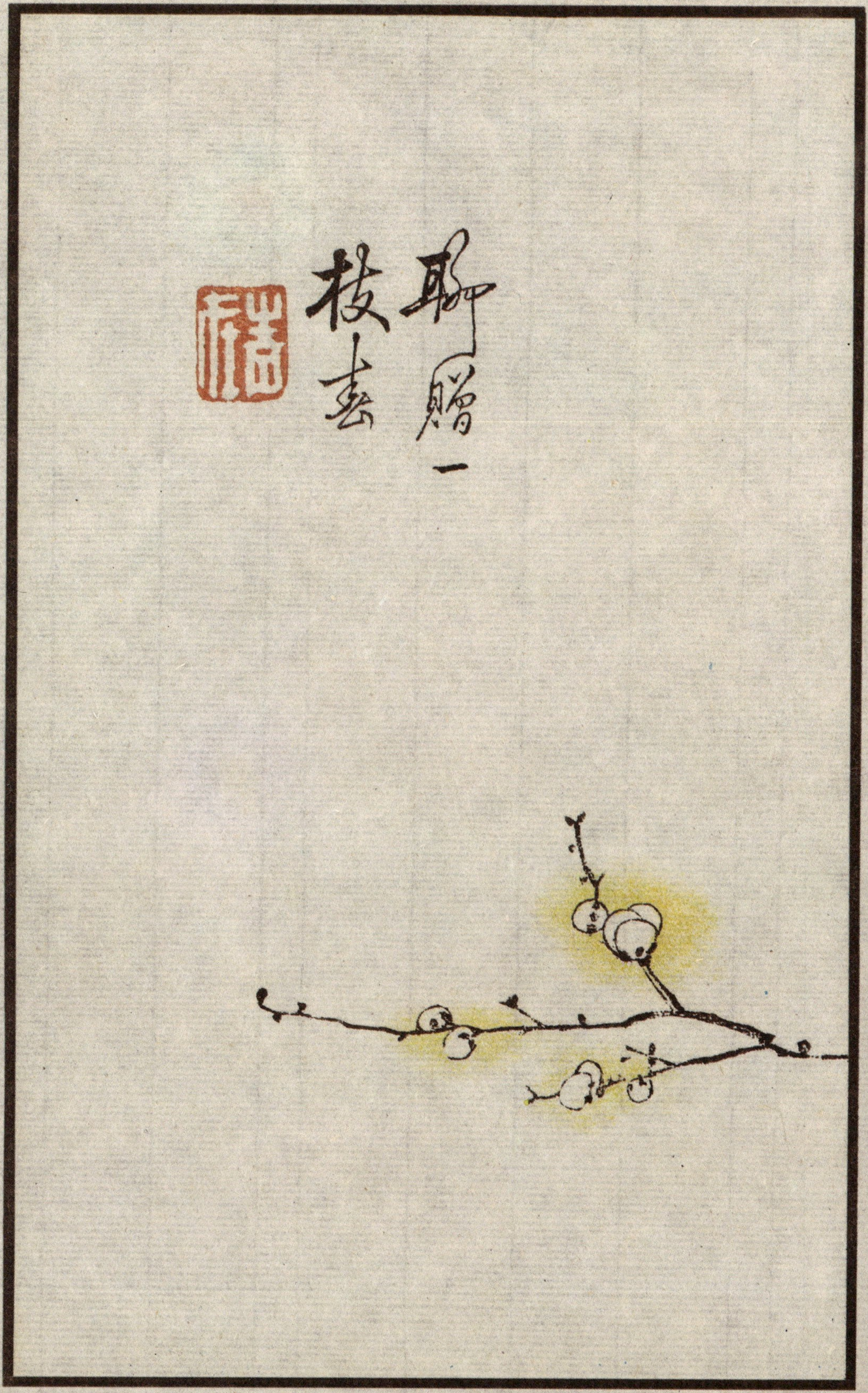

芥子園畫譜 卷三 六六

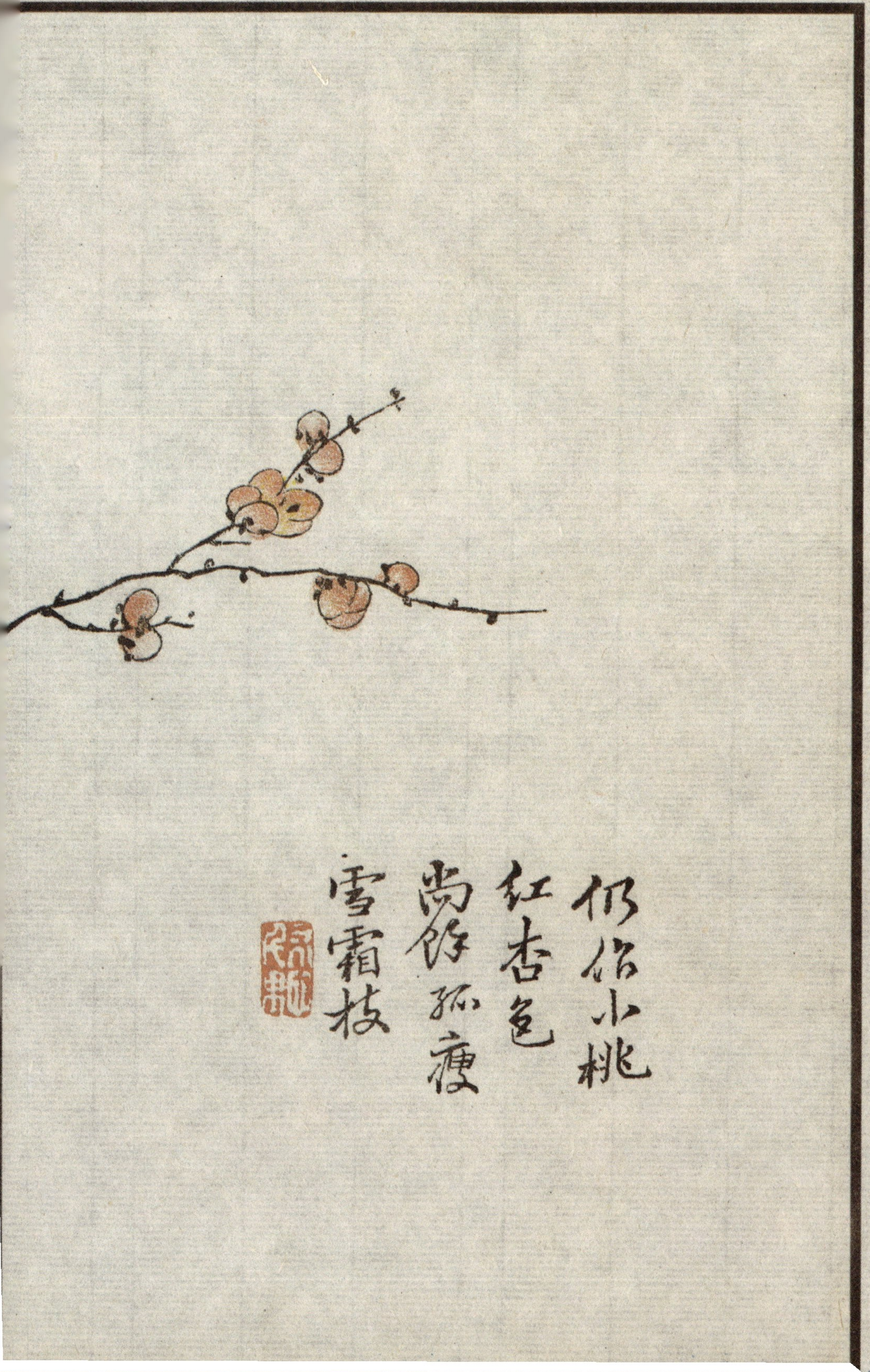

中國傳世畫譜

芥子園畫譜 卷三 六七

芥子園畫譜 卷三 六八

老梅偏占陽
和向日處凌
風發枝
先蕤

林和靖句

殷錫倍

中國傳世畫譜

芥子園畫譜

卷三

七一

芥子園畫譜

卷三

七二

暗香疏影

中國傳世畫譜

芥子園畫譜 卷三 七五

芥子園畫譜 卷三 七六

中國傳世畫譜

芥子園畫譜 卷三 七七

芥子園畫譜 卷三 七八

玉骨冰姿韻
太孤天教飛
雪伴清癯

中國傳世畫譜

芥子園畫譜

卷三

八一

芥子園畫譜

卷三

八二

南枝本同姓喚
我作他楊

黄昏片月滿
地碎陰清
絶枝北枝南
疑有疑
無幾
度背燈
難折

昔和靖好梅淵明好菊夫梅多幽勝菊饒晚香
好者衆矣云胡獨以二人傳花以人重也芥子
園甥館主人有畫傳之訂予既為畫梅復為畫
菊非敢襲高蹈之清華取虛聲而媚俗願梅
花繞屋菊徧東籬較貴爭妍陸離燦爛盡在尺
幅中可以自娛且以公世使和靖淵明見之能
不粲然而笑耶　東海王質